CONTES ET LÉGENDES
MYTHOLOGIQUES

Collection « Mythologies » dirigée par
Claude AZIZA

Illustrations de
J. KUHN-RÉGNIER

L'*Entracte* a été imaginé par
Annie COLLOGNAT
Marie-Ange LAMENDE
Nicole RASTETTER

Émile GENEST

Contes et légendes mythologiques

NATHAN

Loi n° 49-956 du 16 juillet 1949 sur les publications destinées
à la jeunesse : janvier 1994.

© 1929, Nathan.

© 1994, éditions Pocket Jeunesse, département d'Univers Poche,
pour la présente édition et le cahier « Entracte ».

ISBN 2-266-09508-0

Impression réalisée sur Presse Offset par

BRODARD & TAUPIN

GROUPE CPI

La Flèche (Sarthe), le 19-05-2003
17902 - Dépôt légal : janvier 1994

Imprimé en France

PRÉFACE
(1929)

M. Émile Genest, à qui les curieux d'art et de littérature, les amateurs de théâtre et de musique, les écrivains doivent déjà de suggestives études et de précieux moyens d'information et d'expression, se constitue aujourd'hui, avec ses *Contes mythologiques*, un nouveau titre à la reconnaissance du public.

La Mythologie grecque, histoire fabuleuse des dieux, demi-dieux et héros de l'Antiquité, est assez mal connue des générations actuelles. Alors qu'elle faisait partie autrefois de toute éducation tant soit peu soignée, elle est reléguée à présent parmi les connaissances les moins nécessaires, et la plupart de nos contemporains n'en savent plus guère que ce qu'ils en ont pu glaner çà et là, par bribes, au hasard de leurs lectures.

Est-ce suffisant ? « Oui, diront les gens pratiques. Que nous importent ces légendes qui nous ramènent à l'enfance de l'humanité ? Elles ne servent à rien, ne prouvent rien, sinon l'ignorance d'une race primitive, incapable de pénétrer le pourquoi des choses, et qui, sans défense contre les forces de la nature, n'a su les expliquer que par le merveilleux, par l'intervention de divinités grossières et barbares. Que des savants, des exégètes, des philosophes s'attardent à disserter sur l'origine et le sens des vieux mythes, rien de mieux. Mais nous nous contenterons d'admirer,

7

de confiance, les travaux désintéressés, car la vie positive réclame de nous d'autres efforts. »

C'est bientôt dit. Il est pourtant un fait incontestable : c'est que la Mythologie des Grecs, qui a personnifié des idées de tous les temps, des abstractions éternelles, a exercé une influence profonde sur la formation et le développement de notre pensée. Elle n'est pas si naïve ni si vaine qu'on le suppose : elle a aidé les Anciens à se connaître et elle nous sert à nous comprendre, à nous définir et à nous exprimer. Par elle, par ses allégories accessibles et vivantes, le mécanisme des passions humaines s'anime, les lois de toute philosophie s'ordonnent, le sens de la vie universelle s'éclaire. Ce n'est pas sans raison que la Fable a fait de la Paix la fille de Thémis. Quand elle nous apprend que le Luxe et l'Oisiveté ont engendré la Pauvreté, qui à son tour a donné naissance à l'Industrie, elle nous apporte un enseignement non méprisable. Quand elle nous montre Épiméthée, « Celui qui réfléchit trop tard », ouvrant la boîte de Pandore d'où s'échappent aussitôt tous les maux de l'univers, il est significatif que l'Espérance demeure au fond du coffret. Un subtil symbole se discerne dans la légende où nous voyons Antée reprendre sa vigueur chaque fois qu'il touche la Terre maternelle. Et il y a mieux qu'un beau sujet de conte dans le mythe de Psyché, qui nous révèle que si l'âme insatiable, non contente de goûter le bonheur, en veut voir de trop près la réalité, celui-ci s'envole et disparaît, ne laissant après lui que déception et douleur.

Cette influence de la Mythologie sur la pensée, les sentiments, les idées d'une humanité dont nous sommes les héritiers directs, la fin du Paganisme ne l'a pas supprimée ; elle a traversé les siècles, marquée d'âge en âge par des manifestations d'art et des monuments de littérature qui sont les témoins irrécusables et glorieux de notre ascendance intellectuelle.

C'est pourquoi la Mythologie doit n'être pas bannie d'une bonne culture générale. L'intelligence de nous-mêmes, celle des chefs-d'œuvre de l'esprit et de la sensibilité sont à ce prix : chefs-d'œuvre des sculpteurs et des peintres ; chefs-d'œuvre des grands auteurs de l'Antiquité, de la Renaissance et aussi de l'époque classique, car le XVIIe siècle a combiné avec la « vérité », avec la « raison », avec le christianisme, l'esprit de l'Antiquité.

Pas un musée d'Europe où on ne rencontre la Fable à chaque pas. Elle y triomphe d'abord avec les marbres augustes que nous ont légués l'art hellénique et celui de la Rome ancienne ; elle y revit dans toutes les salles réservées aux œuvres des temps modernes : Michel-Ange au Vatican, Raphaël à Florence, Véronèse à Venise, Rubens dans les Flandres, Poussin et Boucher en France n'ont pas traité moins de sujets mythologiques que de scènes religieuses. À la Mythologie grecque et romaine le livre et le théâtre sont redevables d'incomparables beautés. Depuis les vieux tragiques, Euripide, Eschyle, Sophocle, depuis Virgile, elle est le fonds inépuisable où les poètes vont chercher leurs plus nobles inspirations. De Ronsard à Molière, de Racine à André Chénier, la tradition demeure ininterrompue.

Même de nos jours, en ce dur XXe siècle, il s'en faut que les mythes anciens aient disparu de nos arts plastiques, de notre scène, de notre littérature. Consultons les excellents ouvrages que M. Émile Genest a consacrés à nos grands théâtres : la Comédie-Française affiche encore *Psyché, Phèdre, Œdipe-Roi, Œdipe à Colone. Orphée* fait salle comble à l'Opéra. *Pénélope, Philémon et Baucis* sont acclamés à l'Opéra-Comique. Après Leconte de Lisle,

Théodore de Banville, José-Maria de Heredia, plus d'un poète compose encore des vers nouveaux sur des sujets antiques. Nos Salons annuels, voire nos Salons d'Automne n'ont pas cessé de nous montrer, sous des couleurs et avec un dessin plus ou moins libérés des formules d'Ingres et de David, des scènes où se retrouvent maintes figures mythologiques : Vénus, Diane et ses nymphes, le Cygne olympien, Danaé, Omphale, Andromède. Jusqu'à travers les galeries et les pavillons de la récente et si moderne exposition des Arts décoratifs, n'avons-nous pas vu des Océanides, des Tritons, des Méduses et toutes sortes de divinités allégoriques se profiler, simplifiées sans doute, mais encore reconnaissables en dépit de leur laconisme, dans le staf, le stuc, le simili-bronze et la pierre artificielle ?

Qui nous délivrera des Grecs et des Romains ?

Il ne semble pas que ce vers interrogatif, le seul par lequel le poète Clément se soit survécu, soit près de recevoir sa réponse. « Dans mille ans, disait Renan, on ne réimprimera peut-être que les deux plus vieux livres de l'humanité, Homère et la Bible. » Si les Didot et les Fernand Nathan de l'an 2926 doivent effectivement réimprimer l'*Iliade*, c'est qu'il se trouvera encore des lecteurs pour s'intéresser aux dieux de l'Olympe, qui tiennent, en somme, les grands premiers rôles dans l'épopée homérique : c'est Jupiter qui brandit la foudre sur les combattants : c'est Apollon qui déchaîne la Peste dans le camp des Grecs, et c'est Pallas-Athéné qui, sous les traits d'un écuyer d'Hector, accable celui-ci et le livre, désarmé, à la colère d'Achille. Si on réédite l'*Odyssée* à l'usage de nos arrière-neveux, c'est qu'ils seront encore capables de se passionner pour l'extraordinaire aventure de l'astucieux Ulysse, héros mythologique que la haine de Neptune poursuit sur les flots de la mer tumultueuse, mais qui, protégé par Minerve, échappe tour à tour aux tempêtes, aux appels des Sirènes, aux incantations de Circé, aux coups des Lestrygons, à l'amour de Calypso, jusqu'à ce qu'enfin il rentre dans Ithaque, où la fidèle Pénélope l'attend, depuis vingt ans, devant un métier à broder trempé de larmes.

Sachons le reconnaître : l'Antiquité a trop largement participé à notre civilisation occidentale pour que nous puissions, fût-ce par un décret de l'État-Providence, nous voir dépossédés tout à coup de cette succession. La Mythologie est entrée dans notre patrimoine national et elle n'en sortira plus. Elle a pénétré jusque dans notre langage usuel. Ceux-là même qui l'ignorent ne lui font-ils pas journellement mille emprunts involontaires ? Quand ils parlent du tonneau des Danaïdes, de la robe de Nessus, des écuries d'Augias, du fil d'Ariane ; quand ils se plaignent d'être tombés de Charybde en Scylla ; quand ils se déclarent médusés ou disent que le soleil se couche, ils font de la mythologie sans le savoir, comme M. Jourdain faisait de la prose. Encore leur faudrait-il n'ignorer pas tout à fait les mythes auxquels se rapportent ces locutions expressives afin de ne pas ressembler à cette vieille dame, illustrée par Commerson, qui prenait Sisyphe pour un lieu géographique et Procuste pour un ébéniste inexpert.

[...]

Tout nous persuade donc qu'il faut avoir appris la Mythologie. Nul Français moyen ne saurait sans doute la posséder à fond ; mais tout homme de goût se doit d'en connaître au moins les mythes essentiels et les personnages de premier plan.

On peut être certes un citoyen utile sans fréquenter spécialement le Panthéon hellénique. Les temps nouveaux veulent avant tout des hommes d'action, et l'on ne voit pas trop ce que viendrait faire dans notre société contemporaine cet étonnant jeune homme, chanté par Victor Hugo, qui, maître d'études dans un collège, vivait dans le commerce exclusif des héros d'Homère, tout en surveillant son dortoir. Le monde est plein d'obstacles ; ce mot de Vauvenargues n'a jamais été plus sévèrement vrai qu'à cette heure. Mais on peut être un homme d'action sans être un béotien ; un esprit orné n'est pas nécessairement un esprit stérile, et personne ne s'avisera de soutenir que la décadence des traditions intellectuelles soit indispensable au bonheur des peuples modernes.

Aussi bien l'auteur des *Contes mythologiques* ne vise nullement à nous arracher à notre siècle. Il ne prétend qu'à nous être utile, tout en nous amusant. M. Émile Genest a l'art de rendre attrayants tous les sujets, et cet art, il ne l'a nulle part mieux affirmé que dans les pages qu'on va lire. La richesse et la sûreté de sa documentation, son érudition totalement exempte de pédantisme, la verve de bon aloi qui anime ses récits, tout contribue à faire de sa leçon une délectation pour le lecteur. Il nous *conte* la Mythologie, et, comme à *Peau d'Âne*, nous y pouvons prendre un plaisir extrême. Il n'a rien d'un mythographe solennel ; il se contente d'être un narrateur plein de son sujet. Ses contes, embellis du reflet de sa sensibilité, plaisent et captivent par tout ce qu'il y met de lui-même. Il *mythologise* — le mot est de notre vieux Montaigne — avec une bonne humeur toute française et infiniment savoureuse. On sent qu'il s'amuse tout le premier aux aventures de ses héros, qu'il aime leur légende, leurs gestes, les drames pleins de péripéties étranges auxquels ils sont mêlés, les paysages prestigieux où ils se meuvent. C'est un enchanteur pris à ses propres enchantements, et c'est bien pour cela que nous y sommes pris nous-mêmes.

Que M. J. Kuhn-Régnier, qui a illustré l'ouvrage de M. Émile Genest, se soit délecté, lui aussi, à faire de la mythologie, ses compositions ne permettent pas d'en douter. Par la conception et le style, par la souplesse, la grâce, la spirituelle malice de l'exécution, elles pourraient rivaliser avec celles qui décorent les flancs de tels lécythes grecs. Quant aux figurines où l'artiste a résumé le type idéal de chaque divinité, elles sont dignes des pierres gravées de la meilleure époque athénienne. M. Kuhn-Régnier n'a pas un instant oublié que si l'imagination antique a prêté aux dieux et aux déesses la forme humaine, elle a entendu que cette forme fût poussée à la perfection.

Je souhaite aux *Contes mythologiques* beaucoup de lecteurs, parce que je souhaite au plus grand nombre possible de mes contemporains, outre la joie que peut donner un livre charmant, le moyen de puiser dans les chefs-d'œuvre de l'art et de l'esprit des joies multipliées.

Georges PAYELLE

AVANT-PROPOS

LES histoires et les légendes de l'antiquité la plus reculée possèdent un merveilleux attrait. Les peintres, les sculpteurs, les poètes, les littérateurs et les musiciens s'en sont inspirés dans tous les temps et dans tous les pays. Leurs œuvres y font de fréquentes allusions, dont beaucoup même ont fini par passer dans la langue courante, écrite ou parlée, voire dans la conversation familière. Ces allusions sont comprises et appréciées, mais on en a parfois oublié l'origine. Nous avons tenté de combler cette lacune en vous présentant les *Contes mythologiques*.

Avant d'aborder notre récit, sachez que les divinités, qui en font le principal sujet, ont une existence des plus problématiques. Ont-elles d'ailleurs réellement existé ? Rien n'est moins certain. Leur venue au monde fait plus d'honneur à l'esprit inventif et à l'imagination féconde des auteurs qu'à la pure vérité historique. Le nom même dont furent qualifiées leurs multiples aventures en décèle l'origine. *Mythologie*, composé de deux mots grecs, ne signifie-t-il pas : Discours sur des fables ? Tout est fabuleux en effet dans les événements variés, étranges et invraisemblables

15

au milieu desquels évoluent les dieux et les déesses de l'antiquité. Ils sont du domaine de la fiction.

À quelle époque conviendrait-il de faire remonter l'apparition de ces nombreuses déités ? Les plus savants se contentent de répondre évasivement qu'elle se perd dans la nuit des temps ; c'est pour cela sans doute qu'une impénétrable obscurité l'enveloppe.

À la suite de laborieuses investigations, les commentateurs autorisés s'accordent pour conclure qu'à leur venue sur le globe terrestre les humains, se trouvant aux prises avec les phénomènes de la nature, éprouvèrent le besoin de s'adresser à des êtres supérieurs, de leur attribuer le bien et le mal qu'ils éprouvaient, de remercier ceux qu'ils croyaient favorables, d'implorer la pitié de ceux qu'ils estimaient hostiles, et finalement de faire des uns et des autres des divinités.

Chaque peuple eut ainsi sa mythologie propre, remontant à l'époque préhistorique, et ce que nous désignons communément sous le terme générique de « Mythologie » n'est autre que la résultante de ces mythographies éparses que les poètes se sont plu à réunir et à interpréter suivant leur fantaisie.

Les premiers auxquels on attribue cette initiative, Homère et Hésiode, se placent eux-mêmes dans les temps les plus lointains.

On n'est pas fixé sur le siècle où vécut le second ; on hésite entre le IXe et le VIIIe avant Jésus-Christ*[1].

---

* Toutes les notes sont de l'éditeur.

[1]. Hésiode est l'auteur de deux poèmes fondateurs en matière de sources mythologiques : la *Théogonie*, qui, comme son titre l'indique, raconte la naissance et la généalogie des dieux, et *Les Travaux et les Jours*, qui évoquent, entre autres, le mythe de Pandore et celui des origines de l'homme.

Quant à Homère, le traditionnel auteur de l'*Iliade* et de l'*Odyssée* [1], les progrès de la science aidant, on va jusqu'à lui contester d'avoir vécu ! Ses chants immortels reviendraient de droit à des rhapsodes de l'époque primitive, qui, prédécesseurs éloignés des trouvères et des troubadours, allaient de ville en ville célébrer les prouesses et les vertus des héros.

C'est ainsi que l'on attribue aux Grecs le mérite d'avoir fixé la Mythologie et de lui avoir donné une forme précise et définitive.

Quant aux Romains, représentés notamment par Ovide [2] et Virgile [3], ils subirent l'influence hellénique, au point de ne constituer qu'une seule et même *Mythologie grecque et latine*.

Dans de semblables conditions, vous comprendrez sans peine que la chronologie perde ses droits.

Pour compliquer encore la situation, les faits et gestes des divinités mythologiques se confondent et s'enchevêtrent dans un pêle-mêle inextricable dont nous n'aurons pas la prétention de pouvoir sortir.

Aussi devrons-nous simplement extraire de l'ensemble les épisodes les plus caractéristiques et les légendes universellement connues. C'est là que se borneront nos efforts.

En terminant, nous signalerons un détail qui a son importance. Les personnages mis en scène dans nos *Contes mythologiques* empruntent souvent leur nom, selon les écrivains, tantôt à la langue grecque et tantôt

---

1. On considère aujourd'hui que ces deux célèbres poèmes épiques ont été composés au IXe siècle avant J.-C. Voir l'édition de l'*Odyssée* traduite par Leconte de Lisle, dans la collection « Lire et Voir les Classiques », Pocket, 1989.
2. Ovide (43 av. J.-C.-17 ap. J.-C.) est l'auteur des *Métamorphoses*, véritable manuel de mythologie antique.
3. Virgile (71-19 av. J.-C.) a composé une épopée, l'*Énéide*, dans la lignée des poèmes homériques.

à la langue latine. Nous adopterons de préférence les vocables de cette dernière, plus familiers à nos oreilles françaises.

Toutefois, lorsque vos lectures feront apparaître un nom grec dont la signification correspondante vous échappe, veuillez vous reporter à la fin du présent volume. L'*Index alphabétique* vous présentera juxtaposés les noms similaires, latin et grec, et dissipera la confusion qui aurait pu effleurer votre esprit.

E. G.

LE CHAOS

VANT la naissance du monde, — de notre monde, — il n'y avait rien ; ou, s'il y avait quelque chose, ce quelque chose était un amas informe, grossier et confus. On ne pouvait décemment prétendre l'offrir aux divinités futures comme champ d'évolution. Heureusement intervient une formidable Puissance dont ne nous sont révélés ni le nom ni le berceau. Qu'il nous suffise d'accepter sans contrôle qu'elle avait une force surnaturelle et contentons-nous d'une simple affirmation.

Cette Puissance n'admit pas que la situation puisse durer et résolut de mettre de l'ordre dans le désordre, nommé *Chaos*. En un instant, elle sépare les éléments contraires, réunit les uns, écarte les autres et présente à nos yeux le Ciel, parsemé d'étoiles, la Terre sur laquelle nous serons appelés à vivre et les Mers qui l'enserreront de tous côtés ; l'ensemble enveloppé d'air et de lumière. Voilà l'Univers constitué [1]. On aura désormais toute liberté pour placer et animer à loisir les innombrables personnages de la Mythologie, sur Terre, dans l'Air et sous les Eaux.

1. L'Univers constitué et ainsi ordonné est désigné en grec par le terme de *Cosmos*.

II

URANUS ET CYBÈLE. TITAN, SATURNE ET RHÉA

N commencera par décréter qu'Uranus[1] était le plus ancien de tous les dieux. Cybèle, c'est-à-dire la Terre[2], sera sa compagne. Comme dans nos contes de fées, ils auront beaucoup d'enfants. Retenons les deux principaux : Titan et Saturne. Titan était l'aîné et, comme tel, appelé dans l'avenir à régner sur le monde. Mais Cybèle ne l'entendait pas ainsi. Comme souvent les mères, elle avait un faible pour son dernier-né, Saturne. Elle fit si bien par ses cajoleries auprès de Titan que celui-ci consentit à abandonner ses droits d'aînesse, à condition que son jeune frère supprimerait, au fur et à

1. Uranus (*Ouranos* en grec) désigne le Ciel.
2. Gaia (la Terre en grec), puissance à la fécondité inépuisable, est considérée comme la « Mère universelle ». Elle s'incarne par la suite dans des divinités comme Cérès *(Déméter)* ou Cybèle, grande déesse de la Phrygie, toutes deux appelées « Grande Mère ».

mesure, tous les enfants mâles que lui offrirait son union avec Rhéa [1]. Saturne accepte le marché, prête serment et dévorera tous les petits garçons qui lui viendront de son épouse : l'empire du Monde appartiendrait ensuite aux fils de Titan.

Peu scrupuleux dans son affection paternelle, Saturne avait compté sans l'amour d'une mère, et Rhéa était une mère, une vraie mère. Chaque fois qu'elle donnait le jour à un fils, elle s'empressait de lui substituer une pierre soigneusement emmaillotée dans de beaux langes, l'offrait à son époux qui, fidèle à son serment, engloutissait le tout sans sourciller.

Eh bien ! non ! n'allez pas croire à pareille atrocité. Ne voyez là qu'une simple allégorie. Saturne, c'est le Temps dévorant tout dans sa marche implacable et continue, le Temps, précurseur de l'inflexible Éternité [2] !

Les artistes lui donnent l'apparence d'un vigoureux vieillard, à la longue barbe blanche, au crâne dénudé, le dos muni d'amples ailes descendant jusqu'au sol et d'une envergure imposante ; armé d'une faux dans la main droite, il tient de la gauche un sablier. Les ailes facilitent sa marche ininterrompue, la faux ne laisse rien subsister sur sa route, et le sablier égrène les heures qui s'enfuient avec une inexorable régularité.

1. Fille d'Uranus, le ciel, et de *Gaia*, la Terre, Rhéa est donc la sœur de Saturne *(Cronos)* dont elle devient l'épouse.
2. *Cronos* a pu être souvent confondu avec le terme grec désignant « le temps » *(chronos)*, bien que les deux noms soient étymologiquement sans rapport. L'image symbolique de la Puissance « dévorante » a suscité cette confusion.

III

LA CHÈVRE AMALTHÉE.
LES CORYBANTES

 OUS disions donc que par un stratagème ingénieux Rhéa sauvait ses fils de l'appétit paternel. Autrement nous n'aurions pas connu Jupiter, Neptune et Pluton.

Tous trois furent emmenés clandestinement dans l'île de Crète. Ils y trouvèrent, sur le mont Ida, le bon lait de la chèvre Amalthée et la compagnie des Corybantes. Ces préposés au culte de Cybèle en célébraient les fêtes d'une façon assez bizarre. Ils sautaient, couraient, gambadaient, frappaient avec violence de leurs glaives solides sur des boucliers d'airain. Résultat, un bruit étourdissant dominant tous les autres bruits. Ce n'était pas sans raison qu'avait été choisi le lieu de leur séjour pour y transporter les fils de Saturne. Grâce au vacarme, les vagissements et les cris des nouveau-nés ne parvenaient pas aux oreilles de leur père.

Le péril semblait conjuré. Erreur ! Titan s'aperçoit de la ruse ourdie par sa belle-sœur Rhéa, et,

23

croyant son frère complice, lui déclare la guerre, remporte la victoire, puis le fait prisonnier.

Entre-temps, Jupiter avait grandi et enforci ; il prend les armes et, malgré la résistance de Titan, aidé par les Géants, il délivre son père qu'il rétablit sur le trône. Toute difficulté paraît aplanie. Saturne pouvait régner en paix, mais il se méfiait de son fils, dont il redoutait l'ambition. Jupiter s'aperçut des projets hostiles tramés par Saturne. Il fait appel à Neptune et à Pluton, demande aux Cyclopes des armes irrésistibles. Il obtient le tonnerre, la foudre et les éclairs ; et, tous trois fraternellement, sinon filialement unis, chassent du Ciel leur père, contraint de se réfugier en Italie. La bonne fortune réserve à Saturne la gracieuse hospitalité de Janus, roi des Latins.

JANUS. L'ÂGE D'OR. LES SATURNALES.

DÉSABUSÉ des grandeurs, Saturne s'avisa de chercher la tranquillité dans le labourage et l'agriculture. C'est là qu'il goûte le bonheur que Virgile souhaitera plus tard aux habitants des champs [1].

Il s'entendit à merveille avec Janus. Sous leur règne bienfaisant les hommes étaient vertueux ; ils s'aimaient. Jamais de querelles ni de convoitises. Aucun travail ne leur était imposé ; la terre produisait généreusement fleurs et fruits, éclos sans culture ; des fleuves de lait et de nectar sillonnaient les prairies ; un miel abondant découlait des arbres ; les doux zéphyrs parfumaient l'air d'un éternel printemps. C'était l'*Âge d'or* !

En souvenir reconnaissant d'une pareille époque,

---

1. Dans son poème inspiré d'Hésiode, les *Géorgiques* (39 à 29 av. J.-C.), Virgile évoque, entre autres, le mythe de l'Âge d'or et celui d'Orphée et d'Eurydice.

on célébrait à Rome les *Saturnales*. Pendant trois jours, vers la fin de l'année, l'égalité s'imposait à tous. Plus de maîtres, plus d'esclaves ; liberté complète allant parfois jusqu'à la licence. On ne travaillait pas ; on n'exerçait aucun métier, aucun art ; la cuisine seule conservait l'indispensable privilège de satisfaire l'estomac et flatter la gourmandise.

Pour remercier Janus d'avoir si généreusement partagé son trône avec lui, Saturne offrit au roi du Latium le don de double vue sur le passé et sur l'avenir. C'est pourquoi les artistes le représentent avec deux visages ; certains même allèrent jusqu'à le gratifier de quatre faces, générosité peut-être excessive.

JUPITER ET LES GÉANTS

ESTÉS seuls maîtres de l'Univers, après la fuite de Saturne, les trois frères se répartirent sa succession anticipée. Neptune eut l'empire des Mers ; Pluton se contenta des Enfers ; quant à Jupiter, le promoteur de la rébellion, il s'installa en maître sur l'Olympe et s'attribua le palais des Dieux.

Sa domination eut cependant encore à supporter un léger à-coup. Les Géants, fils de Titan, ne pouvaient oublier la défaite subie en commun. Revenant à la charge, ils conçurent le présomptueux projet d'escalader l'Olympe. D'une taille prodigieuse, d'une force dépassant tout ce qu'on peut imaginer, ces monstres à queue de serpent étaient dotés d'une centaine de bras et de cinquante têtes. Rien ne leur résisterait, pensaient-ils. Ils saisissent d'énormes rochers, gros comme des montagnes, les amassent les uns sur les autres « entassent Pélion sur Ossa[1] » ; à trois reprises, ils croient atteindre leur puissant ennemi ; à trois reprises, vains efforts ! Jupiter fait un geste, un seul, tout tremble. Le maître de l'Olympe foudroie les téméraires agresseurs, projetés au loin, eux et leurs rochers gigantesques, qui dans les mers deviennent des îles, et des montagnes sur la terre.

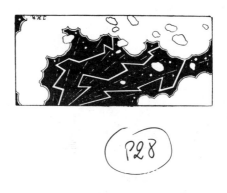

P28

---

1. Le Pélion et l'Ossa sont deux monts de Thessalie, au nord de la Grèce.

LA CHÈVRE AMALTHÉE.
LA CORNE D'ABONDANCE

OUS n'avez certainement pas oublié la chèvre Amalthée broutant sur le mont Ida. Jupiter non plus n'avait pas oublié son opulente nourrice aux succulentes mamelles, dont il avait gloutonnement sucé le lait délicieux. Il n'avait pas oublié davantage les jeux auxquels, dès sa plus tendre enfance, il se livrait avec l'animal haut encorné ; il se rappelait les bonds joyeux, les prodigieuses gambades, les sauts prestigieux et les luttes de grâce, d'adresse et de force. Il se souvenait surtout d'avoir d'une main trop nerveuse arraché l'une des belles cornes qui surmontaient le front de sa plantureuse nourrice. Voulant réparer le tort involontaire d'une bouillante jeunesse, et prouver la reconnaissance de l'ancien nourrisson, Jupiter élève Amalthée au rang des constellations célestes. Quant à la corne malencontreusement ravie, il en gratifia les nymphes du mont Ida, en lui donnant le pouvoir de prodiguer à profusion fleurs, fruits, pièces d'or et pierreries, d'où son nom de *Corne d'abondance.*

JUPITER ET JUNON

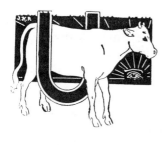

NE fois en règle avec son passé, Jupin[1] — quelques-uns désignent familièrement ainsi Jupiter — s'assied majestueusement sur un trône d'ivoire, le sceptre d'or dans la dextre[2], l'aigle formidable à ses pieds, et songe à prendre une épouse. Son choix se porte aussitôt sur l'altière Junon[3] ; il lui offre de partager sa grandeur et sa puissance. Junon accepte par obéissance et par goût. Cette haute situation ne convenait que trop à son naturel ambitieux ; elle espérait la posséder sans conteste, et diriger, comme il lui plairait, hommes et dieux, son royal époux compris. Ses illusions ne furent pas de longue durée. À peine calmées les premières effusions, Jupiter com-

---

1. Voir cette appellation familière dans les *Fables* de La Fontaine, en particulier *Les Grenouilles qui demandent un roi* et *Jupiter et le passager* (« Lire et Voir les Classiques », Pocket, 1989).
2. La main droite.
3. Sa propre sœur.

mence à trouver monotone l'existence céleste ; la contemplation journalière des divinités, toujours les mêmes, lui devient fastidieuse ; il aspire aux voyages, et pense qu'une fugue sur la Terre lui procurera une appréciable diversité dans la rencontre de quelque remarquable mortelle.

Nous ne le suivrons pas dans la poursuite des nombreuses beautés qui eurent le don de lui plaire et qu'il daigna honorer de ses faveurs. Nous nous contenterons des plus célèbres.

1. EUROPE

Comme il ne veut devoir qu'à lui-même ses succès escomptés, Jupiter abandonne la majesté divine pour prendre modestement l'apparence humaine, quitte à se transformer en un animal de son choix, au gré des circonstances.

Les nymphes, de tournure sémillante[1] et de souriant visage, attirent tout d'abord son attention.

Parmi elles se distinguait la séduisante fille d'Agénor, roi de Phénicie, et sœur de Cadmus, le fondateur de Thèbes en Béotie.

Jupiter ne put résister à l'aspect des charmes d'Europe (c'était son nom). Il s'approche de la belle qui jouait avec ses compagnes aux bords de la mer. Mais se sachant surveillé par la jalousie de Junon, et, d'autre part, craignant d'effrayer par une apparition subite la vierge timide, il se transforme en taureau, se dirige du côté de la troupe joyeuse et folle ; par une manœuvre habile arrive à se placer près de l'objet de ses vœux, se fait souple et câlin ; la naïve enfant, nullement effrayée, se familiarise tout de suite

1. Dotées d'une vivacité pétillante et gaie.

JUPITER ET JUNON

Jupiter et Europe.

Entrez dans la légende

— Comment apparaît Jupiter ?
— Pourquoi a-t-il choisi une telle métamorphose ?
— Décrivez l'attitude d'Europe.

LE SAVIEZ-VOUS ?

C'est sur le chemin de Delphes où il allait consulter Apollon pour retrouver sa sœur mystérieusement enlevée que Cadmos fonda la ville de Thèbes en Béotie. Après sa mort, la tendre Europe reçut les honneurs divins, et le fier animal dont Jupiter avait revêtu la forme devint la constellation du Taureau.

avec ce gros animal, lui caresse l'échine de sa blanche main et pousse la hardiesse jusqu'à s'asseoir sur le dos d'un quadrupède aussi bien intentionné.

À peine est-elle installée que le taureau change aussitôt d'attitude, quitte le rivage pour traverser les mers et entraîne sa jolie captive, les uns disent en Crète, d'autres dans cette partie du monde à laquelle elle aurait donné son nom d'Europe.

Quelle que soit la version adoptée, le couple se trouvant hors d'atteinte et à l'abri des yeux indiscrets, Jupiter ne craint plus de revêtir sa forme première et d'apparaître dans l'éclat de sa splendeur.

De leurs doux entretiens naquit Minos, le futur juge des Enfers.

2. DANAÉ

Un roi d'Argos, Acrise, eut l'idée d'aller consulter l'oracle de Delphes sur son avenir. Il n'est pas toujours bon de chercher à pénétrer dans les arcanes du Destin. L'oracle l'engage à se méfier d'un petit-fils qui lui arracherait et le trône et la vie. Acrise négligea d'abord cet avertissement ; il n'avait pas de petit-fils, et sa fille unique Danaé n'était pas mariée. Que pouvait-il redouter ? Après réflexion, il se dit que la prudence est mère de la sûreté. En conséquence, il prescrit d'enfermer Danaé dans une tour aux murs épais, aux portes d'airain, sans accès d'aucun côté. Le voilà rassuré, tranquille sur son sort, sans se soucier autrement de la triste situation faite à la jeune princesse.

Jupiter, au cœur plus tendre, eut pitié de la pauvre prisonnière et pénétra jusqu'à elle sous l'apparence d'une pluie d'or qui donna le jour à Persée. Acrise était grand-père et les prédictions de l'oracle étaient en mesure de se réaliser[1].

3. IO

Junon passait pour avoir un caractère désagréable, irascible et tracassier, et les partisans de Jupiter en infèrent[2] pour expliquer, sinon pour excuser ses fugues aventureuses et aventurées. Soit ! Mais il allait un peu loin dans la fantaisie, et prenait trop aisément et trop souvent son parti de l'infidélité conjugale. De quel côté s'étaient révélés les premiers torts ? On ne sait. Un point sur lequel on est fixé, c'est la mésintelligence[3] qui régnait dans le ménage divin.

Junon, de plus en plus aigrie, exerçait une surveillance de plus en plus attentive et sévère. Sa méfiance, constamment en éveil, s'aperçut des assiduités exagérées de son volage époux auprès de la chaste Io, fille d'Inachus, roi d'Argos. De son côté, Jupiter n'était pas sans malice. Pour soustraire la belle enfant à l'influence redoutable de sa terrible compagne, il recourut à son stratagème habituel, la métamorphose. Seulement, cette fois, par exception, il n'exerça pas sur lui-même son pouvoir de transformateur, mais sur la délicieuse Io, qui devint une exquise petite génisse, blanche comme le lait, agile comme jamais petite génisse n'avait galopé dans les prairies verdoyantes et fleuries.

Junon n'apercevant plus la jeune Io, qui jusqu'alors faisait partie de son entourage, et surprise en même temps de l'apparition subite de la génisse, sentit le soupçon envahir son âme ; elle crut à quelque

---

1. Voir la suite au chapitre XXIII, « Persée », p. 172.
2. Prennent prétexte.
3. Mésentente.

supercherie, et, concentrant ses doutes et sa colère, elle fit mine de prendre en amitié la jolie bête ; elle la cajolait, lui donnait de sa main les herbes les plus délicates et les plus parfumées ; sa dissimulation fut telle que Jupiter consentit, sur sa demande, à lui faire cadeau de la séduisante génisse. Dès qu'elle l'eut en sa possession, la reine des Dieux pensa bien qu'elle ne pourrait plus s'échapper. Pour plus de sûreté, elle préposa le berger Argus à la garde exclusive de l'animal. Argus n'était pas un berger comme le commun des bergers. Doué d'une centaine d'yeux, il plongeait ses regards de tous les côtés à la fois ; rien ni personne ne pouvait échapper à sa vue et à sa surveillance. Voilà Jupiter bien en peine dans sa convoitise. Comment tromper la vigilance d'un pareil gardien ? Il a recours à Mercure, son fidèle serviteur aux rapides talonnières[1]. Ses ordres sont précis et formels : tuer Argus et rendre à Io sa liberté. Mercure se prépare à obéir. Il aperçoit bientôt le farouche gardien qui, ferme à son poste, lui enjoint de s'éloigner. Sans tenir compte de l'injonction, Mercure approche insensiblement d'un air placide, prend sa flûte, en tire des sons suaves et mélodieux. Argus ravi tombe en extase, regarde de tous ses yeux, écoute de toutes ses oreilles, jamais il n'avait vu ni entendu rien de semblable. D'où vient ce merveilleux instrument ? Mercure promet de le lui dire... un peu plus tard ; et, sans distraire son esprit du but de son voyage, il couvre de pavots la tête du mélomane berger qui s'endort et trouve aussitôt le trépas sous le glaive impitoyable du messager des Dieux. Io est prête à s'échapper. Apprenant la nouvelle, Junon, qui ne peut tirer vengeance de Jupiter, reportera les effets de sa fureur

1. Ailes que le messager des dieux porte aux talons.

sur l'infortunée fille d'Inachus. Les tendres flancs de la douce génisse seront meurtris par le venimeux insecte, terreur des paisibles troupeaux[1]. La pauvre métamorphosée, affolée sous les cuisantes piqûres, voit sa belle robe blanche maculée d'affreuses taches de sang. Elle s'enfuit éperdue à travers plaines et montagnes, franchit la Méditerranée à la nage, et tombe épuisée sur la terre d'Égypte. Jupiter l'y rejoint, lui redonne sa forme humaine : Épaphus la nommera sa mère. Les Égyptiens lui élèveront un temple sous le vocable d'Isis.

Quant à Argus, Junon sema ses innombrables yeux sur la queue du paon, son oiseau préféré.

4. LÉDA

Au pied du Taygète, montagne du Péloponnèse, en Laconie, coule l'Eurotas, le fleuve aux lauriers roses. Le site est enchanteur. Les platanes aux larges feuilles et les hêtres au tronc lisse se disputent l'honneur de projeter une ombre rafraîchissante pendant les fortes chaleurs de l'été.

Près des rives croissent de longs et souples roseaux. Les cygnes d'une éclatante blancheur s'y retirent après leurs nonchalantes et onduleuses glissades sur le fleuve ensoleillé. L'ensemble invite au repos et à la rêverie.

Léda, fille de Thestius, roi d'Étolie, ou de Glaucus et de Leucippe, à votre gré, mais à coup sûr femme légitime de Tyndare, roi de Sparte, aime à s'attarder aux premiers feux brûlants de l'aurore en ce séjour béni des dieux. Elle se complaît à étendre sur le sol moussu son beau corps digne d'inspirer le

1. Il s'agit de la piqûre d'un taon.

prestigieux ciseau de Phidias ou de Praxitèle [1]. Ses membres, assouplis par l'onde pure dans laquelle elle vient de se plonger, apparaissent dans toute leur grâce. De légers voiles diaphanes laissent deviner la perfection d'une éblouissante nudité.

Le spectacle charmant et séducteur est bien fait pour attirer l'attention du maître de l'Olympe. Jupiter l'estime ainsi. Mais quel moyen d'apparaître en semblable solitude sans effrayer la placide princesse ?

À part ces cygnes majestueux filant sur l'eau comme des nefs d'albâtre actionnées par le souffle des tièdes zéphyrs, Léda ne voit âme qui vive. Si lui, Jupiter, était un de ces volatiles, hôtes familiers des bords de l'Eurotas, il pourrait approcher sans crainte et sans scrupule. Pourquoi n'essaierait-il point ? N'a-t-il pas le secret des métamorphoses ? Sa résolution est prise. Il se fera cygne, et sollicitera Vénus de devenir un aigle aux ailes éployées. Vénus feindra de le poursuivre dans les airs et lui, pauvre oiseau craintif, ira se réfugier dans les bras de la belle Léda.

Vénus n'a rien à refuser au puissant Jupiter. Ne vivent-ils pas sur le pied d'une ancienne et douce camaraderie ? D'ailleurs, n'est-il pas dans la nature et dans le rôle de la mère d'Éros, le dieu aux flèches d'or, de favoriser de telles fictions ? Elle accepte. « L'aigle » Vénus chasse le « cygne » Jupiter, qui, presque sans connaissance, vient s'abattre en tremblant sur les genoux hospitaliers de l'épouse de Tyndare.

Léda, apitoyée sur le sort du fugitif oiseau, le prend pour l'un de ses ordinaires compagnons, le flatte, l'amadoue et le réconforte en son sein. À peine remis

1. Phidias (vers 490-431 av. J.-C.) et Praxitèle (vers 390-330 av. J.-C.) sont deux très célèbres sculpteurs grecs.

de ses émotions de cygne, Jupiter quitte sa bienfaitrice et regagne la voûte céleste, abandonnant dans le bocage, témoin de son effroi passager, deux œufs d'une dimension inaccoutumée[1]. Castor et Pollux percèrent la coque du premier ; le second tenait prisonnières Hélène et Clytemnestre, qui ne tarderont pas à remplir le monde de leur tragique et sanglante renommée.

1. Selon la version la plus répandue de la légende, Léda se serait unie à son époux puis à Jupiter pour mettre au jour deux œufs. De l'un des deux naissent donc deux enfants de père mortel, Castor et Clytemnestre ; de l'autre, deux de père divin, Pollux et Hélène.

VIII

JUPITER OLYMPIEN

 N souverain est universellement admis par tous les poètes et auteurs mythologues comme maître des dieux et des hommes. J'ai nommé Jupiter.

C'est lui le Dieu par excellence ; c'est à lui qu'appartient l'Olympe dont il s'attribue le nom, sous lequel il est plus particulièrement honoré : *Jupiter Olympien*.

Nombre de temples furent édifiés à sa gloire. On les compte par douzaines, avec une appellation différente, suivant la place qu'ils occupent, ou selon l'événement dont on entend consacrer le souvenir.

À Rome, *Jupiter Capitolin* est adoré sur le mont du Capitole, non loin de la roche Tarpéienne, où *Jupiter Tarpéien* reçoit les vœux et les prières.

Jupiter Stator, c'est-à-dire « qui arrête », est glorifié pour avoir rallié les Romains fuyant devant l'armée sabine.

Jupiter Lapis, qui veut dire « pierre » en latin, commémore la *pierre* que Rhéa — on se le rappelle — avait offerte à l'appétit de Saturne à la place de son fils Jupiter.

Il est aussi gratifié d'épithètes appropriées aux multiples effets de sa puissance :

Jupiter Tonnant, qui fait retentir le monde du terrifiant bruit du tonnerre ;

Jupiter Fulminant, qui lance la foudre et les éclairs ;

Jupiter, Dieu du Jour, qui illumine l'Univers d'une sublime clarté.

Arrêtons-nous dans cette interminable nomenclature et disons que son titre le plus célèbre est celui d'*Olympien*, de même que son sanctuaire le plus renommé est celui d'Olympie, dans lequel se remarquait la fameuse statue du sculpteur Phidias.

L'ébène, l'or et l'ivoire avaient été seuls employés dans la confection de ce chef-d'œuvre unique au monde.

Le dieu est représenté dans la solennelle majesté de son omnipotence[1] : assis sur un trône d'ivoire incrusté d'or et de pierreries, il s'appuie de la main gauche sur un sceptre d'or massif que surmonte un aigle hautain, symbole de la force et de l'autorité. Sa main droite tient une victoire ailée, faite de métaux précieux ; un large manteau d'or couvre son corps robuste, et laisse entrevoir ses pieds chaussés de sandales et reposant sur un tabouret paré de lions en or ciselé. Des feuilles d'olivier couronnent son abondante chevelure ; une longue barbe ondulée encadre

---

1. Sa toute-puissance.

un visage énergique, empreint de sagesse et de bonté. De chaque côté du trône, trois délicieuses Beautés apportent le charme et la douceur. On reconnaît en elles les filles de Jupiter, les *Heures* et les *Grâces*.

Cette courte et bien imparfaite description donne une trop faible idée de ce que pouvait être l'œuvre incomparable conçue par le génie du plus grand sculpteur de l'antiquité, œuvre tellement supérieure qu'on n'a pas hésité à la classer parmi *les Sept Merveilles du monde*.

L'univers entier était ébloui de sa splendeur. Des pays les plus éloignés on venait la contempler à l'envi, et chacun restait muet d'admiration à son aspect.

Denys l'Ancien, tyran de Syracuse[1], voulut se rendre compte par lui-même de l'enthousiasme témoigné par les populations. Son attente ne fut pas déçue. Il songea même à tirer profit de son déplacement.

En observateur pratique, il fit cette judicieuse remarque que Jupiter devait être bien incommodé par un manteau d'or, « trop lourd en été, trop froid en hiver ». Il déclara faire œuvre pie en débarrassant le dieu d'un vêtement aussi peu confortable, et, connaissant la valeur des choses, il offrit *en échange* un moelleux manteau de laine beaucoup plus pratique en toutes saisons.

LES JEUX OLYMPIQUES

Près de cette même ville d'Olympie se célébraient autrefois en l'honneur de Jupiter des réjouissances dont la réputation a traversé les siècles : *les Jeux Olympiques*.

---

1. Vers 430-367 av. J.-C.

Ces réunions, dites « jeux », prenaient pour prétexte le culte de la divinité. En réalité, c'étaient des amusements organisés par les magistrats à la grande satisfaction du peuple. De tout temps, le *panem et circenses* (le pain et les jeux du cirque à Rome) fut goûté aussi bien en Grèce qu'en Italie, et l'attrait des fêtes publiques ou nationales s'est perpétué d'âge en âge.

Quoi qu'il en soit, les *Jeux Olympiques* débutaient sous les auspices de la religion. Ils avaient lieu tous les quatre ans, à l'époque de la nouvelle lune. La solennité commençait par des sacrifices offerts dans le temple de Jupiter. Les autels, enguirlandés de fleurs, « s'ornaient de festons magnifiques », le sang des victimes coulait à flots ; les cérémonies se poursuivaient fort avant dans la nuit, à la clarté de l'astre qui bannit l'obscurité. Les prières s'accompagnaient des instruments sacrés.

Au lever du jour, on prenait les dispositions pour procéder aux jeux.

Les prix se disputaient sur le *stade* et sur l'*hippodrome*, suivant la nature des épreuves : le stade, réservé aux courses à pied et aux divers combats ; l'hippodrome, consacré aux courses de chevaux et de chars.

Le stade et l'hippodrome, constituant la carrière olympique, étaient garnis de statues et d'autels offrant une vue d'ensemble harmonieuse et grandiose.

Avant tout engagement, les concurrents comparaissaient devant les juges des luttes à intervenir ; ils prêtaient serment de n'user que de moyens honnêtes et de ne recourir à aucune espèce de ruse. L'honneur et la loyauté devaient seuls inspirer leurs efforts. Parents et amis garantissaient la foi jurée.

Cette importante formalité remplie, les épreuves commençaient.

La carrière du *stade* s'ouvrait le matin pour les courses à pied et les divers exercices de force et de souplesse.

L'après-midi voyait des épreuves autrement émouvantes avec la *lutte,* le *pugilat*, le *pancrace* et le *pentathle*.

En vue de la *lutte*, les combattants s'enduisaient le corps d'huile afin d'obtenir plus d'élasticité dans les mouvements et de laisser moins de prise à l'adversaire. Pour être déclaré vainqueur, il fallait renverser son antagoniste sur le dos et le maintenir dans cette position. Les conditions requises en ce genre de sport sont, ce semble, à peu près les mêmes aujourd'hui.

Le *pugilat* présentait plus de risques, entraînant toujours de sanglantes blessures et menant même fréquemment jusqu'à la mort. On le comprendra, sachant que les mains étaient enfermées dans le *ceste*, sorte de gant formé de bandes de cuir entrelacées, quelquefois garnies de lamelles de plomb ; la tête seule avait comme protection une calotte de métal. Étant donné son caractère brutal et cruel, le pugilat n'était pas en honneur. On l'abandonnait aux gens du commun.

Le combat gymnique, appelé *pancrace*, réunissait lutte et pugilat, mais offrait moins de danger, les poings n'étant pas recouverts et restant complètement à nu.

Comme l'indique son préfixe *pente* qui signifie *cinq,* le *pentathle* groupait cinq genres d'exercice : la lutte et la course déjà citées, auxquelles venaient s'ajouter le *saut*, le lancement du *disque*, et le jet du *javelot*.

Le *saut* se pratiquait au son de la flûte pour accuser le rythme et présager la danse.

Le *disque*, en métal ou en pierre, affectait une

forme circulaire, plate et légèrement bombée. C'était à qui le lancerait d'une propulsion vigoureuse à la plus grande distance.

Le *javelot* devait atteindre le but fixé et demandait plus de coup d'œil et d'adresse que de force musculaire.

Dans le vaste hippodrome la foule assistait au spectacle des courses de chevaux et surtout des courses de chars : les *biges* à deux ou quatre roues attelés de deux chevaux et les *quadriges* menés par quatre chevaux de front.

Ces courses s'échelonnaient sur quatre à cinq journées et clôturaient dignement les fêtes dans un enthousiasme indescriptible.

Le succès qu'elles remportaient encourageait les propriétaires de chars et de chevaux. Seuls, les riches personnages pouvaient s'en offrir le luxe ; les rois eux-mêmes ne dédaignaient pas d'y figurer, sinon en personne, du moins en nom, tout comme les élégants « sportsmen » de nos jours ; à telles enseignes que plusieurs fois la victoire fut remportée, entre autres, par Pausanias, roi de Sparte, et par Archéloüs, roi de Macédoine. Alcibiade lui-même[1], qui ne se contentait pas de provoquer l'attention en faisant couper la queue de son chien, se fit représenter à une séance par une demi-douzaine d'attelages auxquels il fut redevable d'un certain nombre de couronnes.

Les chars, montés de préférence sur deux roues basses, étaient étroits, entièrement découverts, clos par-devant, accessibles seulement à l'arrière dépourvu de fermeture. Ils affectaient volontiers l'aspect d'une sorte de tribune. De forme élégante, ils s'ornaient

1. Célèbre disciple du philosophe Socrate et général athénien, Alcibiade (vers 450-404 av. J.-C.) était réputé pour ses excentricités.

luxueusement d'après le goût raffiné et l'amour-propre des possesseurs ; la dépense ne comptait pas lorsqu'il s'agissait d'éclipser les rivaux. Le plus souvent la décoration des parties pleines, à l'avant et sur les côtés, reproduisait des scènes de combats et de luttes. Les meilleurs artistes acceptaient d'y déployer leur talent.

Quant aux coursiers, une préparation de longue date les avait entraînés aux épreuves futures. Les soins les plus minutieux avaient présidé à leur élevage, tant au point de vue de la nourriture, de l'hygiène et de l'élégance extérieure qu'à celui de l'agilité, de la vitesse, de l'endurance et de la docilité à subir l'action du frein et des rênes.

Leur apparition sur la lice provoquait déjà les bravos. Qu'était-ce quand les ardentes cavales se mettaient en action, volaient sur l'arène plus rapides que le vent et contournaient dans un virage impeccable la dangereuse borne (la *meta*) qu'il fallait éviter jusqu'à douze tours consécutifs pour gagner le prix. C'est alors que les applaudissements crépitaient bruyamment et que du haut en bas des gradins retentissaient les acclamations et les cris d'une foule en délire.

Les plus grands honneurs étaient réservés aux triomphateurs. Dans certaines villes on allait jusqu'à démolir un pan des murailles pour fêter plus solennellement, dans une large entrée, le retour du citoyen qui venait d'illustrer d'une nouvelle victoire son pays natal.

MILON DE CROTONE

Certains athlètes accomplissaient des prouesses extraordinaires, tels les exploits attribués à Milon le Crotoniate, ou mieux, Milon de Crotone.

Cet homme, d'une force surhumaine, s'était astreint dès son adolescence, à porter un jeune taureau ; chaque jour il renouvelait cet exercice qu'il continua pendant quatre ans jusqu'à la complète croissance du ruminant dont le poids n'augmentait qu'insensiblement toutes les vingt-quatre heures.

Arrive l'époque des Olympiades ; Milon vient concourir au prix de la force. Il entre dans la lice avec son taureau sur les épaules et fait le tour entier de la piste sans reprendre haleine. Vous jugez de l'accueil et de la stupéfaction. Avec le plus grand sang-froid Milon dépose son fardeau à terre, et, d'un vigoureux coup de poing entre les deux cornes du taureau, terrasse l'animal qui s'étale expirant sur le sol.

Pour mettre le comble à l'ébahissement des spectateurs, Milon, d'un appétit incroyable, mangea sa victime au cours de la journée.

Entre-temps, il fut six fois vainqueur aux Jeux Olympiques et sept fois aux Jeux Pythiens [1].

Malgré ces exercices violents et fatigants, le Crotoniate parvint à un âge assez avancé. Errant un jour dans une forêt, il aperçut un énorme chêne que des bûcherons avaient essayé de fendre sans y parvenir. N'écoutant que son antique valeur, Milon tente d'écarter les fentes de l'arbre ; malgré ses efforts, les deux parties du tronc se resserrent automatiquement sur ses mains prises comme dans un étau. Impossible de se dégager. Il avait trop présumé de sa vigueur et devint la proie des loups de la forêt.

1. Les Jeux Pythiens (ou Pythiques) avaient lieu à Delphes, pour commémorer la victoire d'Apollon sur le serpent Python.

IX

MINERVE

A venue au monde de Minerve se produisit d'une façon assez originale. Il est vrai que Jupiter ne fut pas étranger à l'aventure et l'on sait du reste que le maître des dieux n'est avare ni de fantaisies ni de mystères.

Jupiter avait remarqué Métis, fille de l'Océan et de Téthys [1], la plus sage et la plus vertueuse de toutes les nymphes, et, pour lui témoigner une affection inaltérable, il commença par en faire son épouse et par l'avaler alors qu'elle était enceinte. Peu de temps après, de violents maux de tête torturèrent son cerveau puissant. Ne pouvant supporter la douleur intolérable, il emploie les moyens énergiques, appelle Vulcain, le grand forgeron, et lui demande en grâce de lui assener un fort coup de marteau sur le crâne pour le lui ouvrir sans pitié.

---

1. Océan et Téthys appartiennent à la génération des Titans, enfants du Ciel (Uranus) et de la Terre (Gaia), comme les parents de Jupiter.

C'était un jeu d'enfant pour le Dieu du feu. Vulcain saisit son outil de travail, aborde Jupiter, et le frappe.

De cette blessure de commande surgit une femme jeune et belle, armée de pied en cap, lance en main et casque en tête : Minerve a vu le jour !

Voilà comment elle est à la fois fille de Métis [1] et de Jupiter, et voilà pourquoi elle bénéficie, à sa naissance, des vertus de l'une et de la puissance de l'autre. Elle réunit en elle la force et la sagesse, la prudence et la justice. On lui attribue, avec la protection des arts, l'invention de l'écriture et de la peinture. Ses talents personnels excellent dans la broderie et la tapisserie.

D'aussi brillantes qualités ne vont pas sans un léger revers — toute médaille a le sien. Notre immortelle est quelque peu susceptible. Non seulement elle ne supporte pas la critique, mais elle n'admet aucune rivale dans la confection des dentelles. Elle avait fait ses preuves avec la robe offerte à Junon le jour de ses noces. Toutes les femmes, expertes à manier la navette et le fuseau, reconnaissaient son indiscutable supériorité et se contentaient du rôle d'humbles imitatrices. Une femme, une seule, originaire de Lydie, appelée Arachnée, émit la prétention d'égaler en habileté la divine filandière et proposa même de se mesurer avec elle.

Minerve, froissée d'une telle outrecuidance, mit en pièces un ouvrage merveilleux que la Lydienne venait de terminer, et, pour assouvir sa colère, transforma la malheureuse artiste en vulgaire araignée.

Un autre genre de rivalité attendait l'orgueilleuse fille de Jupiter. Il s'agissait de donner un nom à

---

1. Son nom signifie en grec l'intelligence fondée sur la ruse.

MINERVE

La naissance de Minerve.

Entrez dans la légende

— Qui sont les deux personnages masculins ?
Décrivez leur tenue.
— Comment s'appelle la frise décorative sous
leurs pieds ?
— Quels sont les attributs de Minerve ? Que
suggère son attitude ?

LE SAVIEZ-VOUS ?

Jupiter a l'exclusivité d'un autre « accouche-
ment » célèbre : celui de Bacchus que le souverain des dieux fait sortir de sa cuisse où il
l'avait mis en gestation après la mort de sa mère
Sémélé (voir p. 118). C'est là l'origine de
l'expression familière « se croire sorti de la
cuisse de Jupiter », pour quelqu'un qui se prétend supérieur aux autres.

une ville que Cécrops avait bâtie en Grèce. Neptune et Minerve s'en disputaient l'honneur. Comme ils ne pouvaient s'entendre, le différend fut porté devant le tribunal des dieux. Bien embarrassé de fixer son choix, le divin aréopage [1] décide que celui-là serait agréé qui produirait la plus belle œuvre : d'un coup de son trident, Neptune frappe nerveusement le sable des mers et fait naître un cheval fougueux et farouche.

Minerve à son tour paraît : le cheval de Neptune s'enfuit effarouché, et la terre produisit à sa place un gigantesque olivier, couvert des plus beaux fruits, emblème de la paix.

La partie était gagnée, rien n'étant préférable à la paix, et les dieux décernèrent la palme à la fille de Jupiter.

Comme il s'agissait de dénommer une ville hellène, Minerve la désigna du propre nom qu'elle portait elle-même dans la langue d'Homère, *Athènè*. Ce fut Athènes.

La déesse de la sagesse était, nous l'avons dit, assez susceptible ; elle ne pardonnait pas à Neptune et ne cherchait qu'une occasion de le lui faire sentir. L'occasion s'offrit quand le dieu des mers eut l'imprudente audace de poursuivre de ses assiduités, jusque dans le sanctuaire de Minerve, la plus belle des trois Gorgones, Méduse. L'infortunée, innocente victime, subit la peine du crime de Neptune : sa tête fut chargée d'autant de serpents qu'elle avait de cheveux, et, de plus, son visage changeait en pierre quiconque osait la regarder en face. Ce fatal pouvoir cessa de s'exercer quand le héros Persée, fils de Jupiter et de Danaé, saisissant la Gorgone par-derrière,

1. L'Aréopage était le tribunal d'Athènes qui siégeait sur la colline consacrée au dieu Arès (Mars en latin), d'où son nom. Devenu nom commun, il désigne une brillante assemblée.

lui trancha la tête d'un glaive rapide. Du sang qui s'écoula naquit un cheval aux larges ailes, Pégase, auquel une place importante est réservée dans la suite de ces récits [1].

LES PANATHÉNÉES

Jupiter avait les Jeux Olympiques ; on ne pouvait faire moins pour sa fille préférée que de lui offrir des divertissements semblables. On organisa en sa faveur, avec toute la pompe imaginable, les *Panathénées*, fêtes célèbres à Athènes.

Les peuples de la Grèce se donnaient rendez-vous dans la ville de Cécrops pour assister et prendre part aux solennités.

Comme aux Jeux Olympiques, on s'y disputait les prix de la course et de la lutte. Mais la Poésie et la Musique obtenaient la prépondérance et occupaient la plus large place. L'intention en était de glorifier avant tout la déesse qui idéalisait la force de la pensée, la perfection dans les arts, la protection et la divulgation des sciences humaines.

Les fils des premiers citoyens de l'Hellade [2] exerçaient leur adresse dans la conduite des chevaux et les courses de chars. D'autres jeunes gens se livraient aux diverses épreuves gymniques. Certains préféraient des joutes plus calmes dans l'exécution de pièces poétiques ou musicales. La flûte et la cithare soulignaient leurs improvisations. Plusieurs ajoutaient le charme de la voix dans des chants appropriés à la circonstance. Des sujets étaient proposés aux poètes

1. Voir chapitre XXIII, « Persée ».
2. Hellade est le terme tiré du grec pour désigner la Grèce (terme d'origine latine).

pour rappeler les souvenirs des fameux capitaines, ou des courageux libérateurs de la tyrannie.

Pour clore la série des réjouissances, on organisait une marche solennelle comprenant hommes et femmes de toutes classes et de toutes conditions accourus des différents points de l'Attique. Cette procession annuelle se rendait au temple de la déesse pour retirer le manteau de sa statue et le remplacer par un autre, dû au talent consommé des dames athéniennes. Ce manteau, dit *peplos* [1], d'un tissu léger, était enrichi de délicates broderies rappelant des scènes connues des guerres et de combats.

Le cortège se formait à l'intérieur de la ville. Les magistrats ouvraient la marche ; suivaient les prêtres et les sacrificateurs préposés au culte de la déesse ; venaient ensuite les vierges revêtues de voiles souples gracieusement retenus sur leurs têtes par des couronnes de fleurs ; le défilé se poursuivait avec les enfants au radieux sourire, les guerriers munis de lances et de boucliers, et les vieillards à l'air vénérable porteurs des rameaux du pacifique olivier commémorant l'échec subi par Neptune et son belliqueux trident.

Des musiciens et des rhapsodes [2] les accompagnaient en récitant les poèmes d'Homère ; parmi les groupes, des danseurs recouverts d'armures s'arrêtaient par intervalles pour simuler au son des flûtes la lutte de Minerve contre les Titans.

Le long du parcours, les hymnes sacrés alternaient avec les chants patriotiques :

> Nous avons été jadis
> Jeunes, vaillants et hardis,

---

1. Le « peplum » en latin.
2. Littéralement, en grec, « celui qui chante » des poèmes épiques ; voir p. 17.

psalmodiaient les vieillards.

> Nous le sommes maintenant
> À toute heure, à tout venant,

répondaient les hommes mûrs, dans la force de l'âge.

> Et nous, un jour, le serons
> Qui tous vous surpasserons,

clamaient en confiance les éphèbes pleins d'une fougueuse ardeur.

On entretenait ainsi le courage et le patriotisme de la nation.

À la fin du cortège paraissait un vaisseau semblant poussé par d'invisibles zéphyrs ; il supportait le voile sacré que, parvenus dans le temple, les prêtres détachaient et déposaient religieusement sur les épaules de la divinité.

Phidias avait fait la statue de Jupiter. Celle de Minerve, également en or et en ivoire, et du même sculpteur, fut placée dans le sanctuaire du Parthénon, au sommet de l'Acropole qui dominait la ville d'Athènes.

La déesse, debout, porte une longue robe la couvrant tout entière. L'*égide*, ornée de la tête de Méduse, protège sa poitrine. Coiffée d'un casque surmonté de deux griffons et d'un sphinx, elle tient d'une main sa lance, de l'autre une victoire.

X

NEPTUNE. AMPHITRITE

EPTUNE était le frère de Jupiter, et, comme tel, fils de Saturne et de Rhéa ; comme tel également, sa mère l'ayant soustrait à la gourmandise de son père, le confia à des bergers au milieu desquels il devint grand et fort. Nous avons vu qu'au partage de l'empire du monde la souveraineté des mers lui avait été concédée. Il l'avait acceptée, faute de mieux ; résigné mais peu satisfait, Neptune conspira contre Jupiter. S'étant attaqué à plus fort que lui, le ciel lui fut interdit ; il en est chassé, contraint de se réfugier auprès de Laomédon, roi de Troie, et d'aider ce prince à élever les murailles de la ville. Apollon l'assistait ; aux accords de sa lyre les ouvriers travaillaient avec ardeur ; les princesses troyennes encourageaient par leur présence, tout en tissant aux bords des flots les peplums et les voiles légers. Pour prix de cette aide inespérée, Laomédon promit tout ce qu'on voulut ; une forte somme devait en être le salaire. Quand l'œuvre fut achevée, Laomédon ne tarit point d'éloges à l'adresse des constructeurs ; mais d'argent, point de versé. Outrés d'avoir été dupés, Neptune et Apollon se répartirent le soin de la vengeance. Le Dieu du Soleil répandit sur la Troade des vapeurs méphitiques[1] et le Dieu des Mers couvrit d'eau la contrée parcourue par un monstre marin qui la ravageait et se préparait à jeter bas les murailles miraculeusement élevées. Désespéré, Laomédon ne savait à qui se vouer, quand il pensa consulter l'oracle. « Pour calmer le courroux des dieux justement irrités, répondent les devins, il faut livrer une vierge à la colère du monstre. » Le sort désigna Hésione, la propre fille de Laomédon. De plus en plus désolé et de moins en moins avare de promesses, Laomédon offrit sa fille à celui qui la sauverait de l'imminent danger.

Hercule se présente et rend la princesse à la liberté et à son père. Celui-ci se dérobe de nouveau, refuse son enfant ; il l'a recouvrée et prétend la garder. Hercule, dont la patience n'est point proverbiale, saisit la terrible massue, frappe le parjure et d'un seul coup l'envoie dans le royaume des ombres méditer sur les inconvénients de manquer à la foi des serments.

Cet incident terminé à son entière satisfaction, Neptune fit la paix avec Jupiter et se consacra désormais à gouverner son vaste empire des mers. Une épouse ne serait pas déplacée à ses côtés. Neptune y songeait sérieusement. Le dieu marin, Nérée, fils de Téthys et de l'Océan, avait épousé sa sœur Doris qui généreusement l'avait gratifié d'une cinquantaine de filles. On les appelait Néréides, du nom de leur père. C'étaient d'accortes nymphes au buste de femme

---

1. Vapeurs qui dégagent une odeur répugnante et toxique.

NEPTUNE ET AMPHITRITE

Neptune et Amphitrite.

Entrez dans la légende

— À quoi reconnaissez-vous Neptune ?
— Comparez l'aspect d'Amphitrite avec la description qu'en donne le texte. Quelle différence notable relevez-vous ?
— Comment s'appelle le troisième « personnage » ?

LE SAVIEZ-VOUS ?

Toutes les planètes du système solaire portent des noms de divinités gréco-romaines. Neptune est la huitième, entre Uranus et Pluton. Elle a été découverte en 1846 par l'astronome allemand Galle. Elle possède huit satellites, dont *Triton* et *Néréide*.

continué depuis la ceinture en queue de poisson. Cette particularité n'était pas de nature à troubler le dieu qui vit dans les eaux profondes. L'hésitation fut de courte durée : la vue d'Amphitrite éveilla tout de suite sa sympathie. Mais la jeune Néréide ne fut pas aussi promptement flattée à la perspective d'un époux plus connu par la rudesse et la violence que par le calme et la douceur. Elle commença donc à recourir à la fuite au milieu des flots. Poursuivie par un dauphin éloquent et bon nageur, elle fut ramenée auprès du dieu qui, renonçant à sa mine rébarbative, obtint son agrément dans un sourire. L'union fut décidée. Amphitrite devenait auprès de Neptune la puissante déesse de la Mer. Un fils naquit : Triton avait le haut du corps de son père et, comme sa mère, il était doué d'une queue de poisson. Il fit souche à son tour, grâce à la complaisance des filles de l'onde. Une foule de petits Tritons vint s'ébattre autour d'elles. Ils grandirent et l'on peut les voir en peinture, parmi les vagues, lors d'une visite à la salle des Rubens, au musée du Louvre.

Neptune eut d'autres enfants que Triton. Il en est trois dont il faut retenir le nom et l'histoire ; ce sont Polyphème, Antée et Procuste. Nous allons vous parler successivement de chacun de ces personnages et vous signaler les particularités qui les distinguent.

1. POLYPHÈME (ACIS ET GALATÉE)

Le premier en date passe pour être Polyphème. Puisqu'il est possible de faire un peu de chronologie, profitons-en. Une fois n'est pas coutume.

Polyphème avait pour mère Thoosa ou Thoossa, charmante nymphe qui n'a pas retenu l'attention des mythologues ; nous ferons comme eux. Quant à son fils, on en a dit beaucoup sur son compte. Nous ne relaterons que certains épisodes de son existence. Il faut d'abord vous le dépeindre. Attendez-vous à un être horrible à voir. Sa taille est colossale, sa chevelure abondante, touffue et broussailleuse, sa barbe hirsute rivalise avec sa chevelure. Son corps est recouvert d'un affreux poil roux. Au milieu du front, un œil unique ; les cils drus le cachent à moitié ; le sourcil rejoint cheveux et barbe et n'a rien à leur envier. Un antre obscur, non loin des rivages, sert de repaire à l'être ainsi construit et défini. C'est là que ce Cyclope « reçoit » voyageurs et passants, les tue et les dévore. Quant à sa toilette, vous aurez une idée des soins qu'il y apporte en connaissant les objets dont elle se contente : un râteau comme peigne, une faux pour rasoir. Voilà le monstre qui déambulait sur les côtes de Sicile.

Dans ces parages existait une délicieuse nymphe, Galatée, belle comme le jour, blanche comme le lys de la vallée, douce et timide, ne se plaisant qu'à cueillir des fleurs sur la montagne, heureuse de respirer les parfums de la nature et de contempler la mer bleue. Telle est la chère enfant que Polyphème aperçut pendant une de ses promenades. Longtemps il la regardait, la contemplait, et plus il la voyait plus il admirait sa grâce et sa candeur. Quelle séduction devait posséder l'exquise Galatée pour exercer un tel empire sur cet affreux Polyphème ! L'horrible géant ne put résister au désir de l'approcher. Il alla jusqu'à lui déclarer sa flamme, vantant sa force et sa puissance. Il avait des troupeaux en grand nombre ; ses moutons étaient les plus beaux de la contrée, leur toison longue et soyeuse émerveillait ; dans sa riche demeure, il lui apporterait fleurs et fruits à satiété. Il détaillait avec éloquence l'agrément qu'elle trouverait en sa compagnie. Galatée écoutait, à distance, moitié souriante, moitié apeurée, et finissait toujours par s'éloigner avec la légèreté de la biche aux pieds agiles. Polyphème s'exaspérait de jour en jour d'un accueil si peu conforme à ses desseins. Mais il réussirait ! Qui donc pourrait s'opposer à son projet ? Qui ? Un simple berger des alentours. Un berger ? Qu'a-t-il pour lutter contre lui ? Ce qu'il a ? Il a aussi des troupeaux, il a des chèvres, il a des brebis, il a des agneaux, il a surtout la jeunesse ! Si la nymphe repoussait les brûlantes déclarations du Cyclope, son cœur n'était pas cependant insensible. Il battait et battait même très fort pour ce charmant berger Acis, gentil comme elle, beau comme elle, doux comme elle. Ils avaient juré de s'unir et comptaient prochainement tenir leurs serments. Or, un après-midi, tandis qu'ils reposaient côte à côte dans une grotte près de la mer, Polyphème les surprit. Vous concevez sa fureur ; il perçoit un rival, se précipite sur le tendre couple. La sveltesse et l'agilité de Galatée la conduit rapidement dans les flots protecteurs qui la garantissent des atteintes du monstre. Quant au malheureux Acis, un rocher lancé par Polyphème met fin à ses jours et le sépare à jamais de sa délicieuse amante.

Le Destin ne voulut pas laisser impuni semblable forfait. Un vengeur surgit en la personne du roi d'Ithaque. On le voit remplir un rôle aussi imprévu que décisif.

Le vaisseau, qui le ramenait avec ses compagnons après le siège de Troie, poussé par une violente tempête, vint échouer sur ces mêmes côtes de Sicile. Polyphème avait repris ses pérégrinations habituelles, sans pouvoir se remettre de la fuite de Galatée. L'arrivée d'Ulysse et de ses guerriers lui parut une aubaine inespérée pour se consoler avec un plantureux repas arrosé de copieuses libations. Il fait entrer les naufragés dans sa caverne, les invite au repos et leur offre un vin généreux. L'astucieux Ulysse pressent tout de suite le moyen d'échapper au danger qui le menace lui et ses compagnons ; il a deviné le côté faible du Cyclone, la gloutonnerie. Il entre en conversation. Polyphème lui demande qui il est et d'où il vient. « Je m'appelle Personne, répond Ulysse, et nous arrivons du siège de Troie. » Et avec son éloquence coutumière, il raconte les péripéties de cette guerre épique ; il en révèle l'origine due à l'enlèvement d'Hélène par Pâris ; il décrit en détail les combats qui se sont livrés sous les murs de la ville de Priam. Il se complaît dans les éloges, mérités par tous les héros, grecs et troyens. Au nom de chacun les coupes se vident. Ulysse se garde bien d'en oublier, en commençant par Achille pour continuer par Ajax, Patrocle, Philoctète, Pyrrhus, et Agamemnon. Polyphème est de plus en plus intéressé et ressent déjà l'influence d'une douce ébriété. « À la gloire des Troyens à présent ! clame Ulysse. Honneur au courage malheureux ! » et, remplissant sans cesse l'énorme coupe du Cyclope, il cite au hasard du souvenir Priam, Hécube, Hector, Andromaque, Cassandre, Énée et son vieux père Anchise. Les libations répétées comblaient de joie l'éloquent narrateur. Polyphème s'était abattu comme un bœuf terrassé ; un profond sommeil le mettait à la discrétion d'Ulysse qui, d'un énorme pieu, creva l'œil unique du Cyclope paralysé par les fumées d'une ivresse impitoyable. À ses cris, on accourt du voisinage ; on demande qui l'a ainsi maltraité. « Personne », dit-il (c'était le nom qu'Ulysse avait donné). Il est considéré comme fou et abandonné à son triste sort. Ulysse sans perdre de temps, enjoint à ses compagnons de s'attacher solidement sous le ventre des moutons de Polyphème, moutons énormes en rapport avec l'énormité du maître.

Dès que le cyclope enlèvera le rocher fermant la caverne et fera sortir son troupeau, les Grecs sortiront eux-mêmes avec les bêtes sans pouvoir être aperçus par l'aveugle. Le stratagème réussit à souhait. Les moutons défilent, Polyphème passait la main sur leur dos ; les Grecs étaient dessous. Bientôt hors de la caverne, ils se détachent, rejoignent leurs vaisseaux, mettent à la voile et reprennent le voyage interrompu. Acis était vengé !

2. ANTÉE

Fils de Neptune et de Gè ou Gaia, c'est-à-dire de la Terre, Antée ne le cédait en rien à son frère Polyphème pour la gloutonnerie et la férocité. Plus généreuse pour lui que pour le Cyclope, la nature l'avait doué de deux yeux. Son appétit de chair humaine le conduisit dans les déserts de Libye ; il n'y trouverait pas de concurrents et dévorerait à loisir les voyageurs assez téméraires pour se mettre à sa portée. Ce géant, comme ses congénères, était d'une force peu commune. Il terrassait quiconque se présentait. Pas d'exemple qu'aucun imprudent ait pu lui résister. Lutter avec lui était impossible. Quelque vigoureux que fût l'adversaire, sa perte était sûre ; car Antée, à la moindre lassitude, se précipitait sur le sein de sa mère (autrement dit sur la Terre), et par ce contact, il acquérait un renouveau de force le rendant infatigable et invulnérable. Très gourmet de viande fraîche, il dépeçait sa victime chaude encore, la mettait en quartiers et se délectait dans un immonde repas. Il fit vœu d'élever un temple à la gloire paternelle avec le résidu de ses sanglantes agapes. Les ossements rongés et les crânes vidés de cervelle, soigneusement mis en réserve, seraient les matériaux utilisés pour édifier le sanctuaire à l'auteur de ses jours. On ne sait si ce genre d'architecture macabre était apprécié dans l'Olympe. Toujours est-il que les dieux jugèrent ce monumental projet fantaisiste et d'un goût douteux. Ils décidèrent d'y mettre un terme et chargèrent Hercule de supprimer constructeur et construction.

Hercule, se voyant dans ses attributions favorites, accourt vers la Libye et, sous l'apparence d'un innocent et paisible voyageur, aborde le géant carnivore. Antée se réjouit d'une nouvelle proie, par avance la savoure. La lutte s'engage. Grande est sa surprise de rencontrer une résistance. Il ne désespère pas cependant. Trois fois renversé, trois fois il se relève plus fort et plus dispos. Aucun des deux adversaires ne comprend son échec. Nous connaissons, nous, le secret. Plus Antée est roulé sur la terre, plus il acquiert souplesse et vigueur. Hercule n'était pas initié ; mais, joignant à la puissance musculaire du lion la subtile finesse du renard, il découvrit l'artifice. Dans une quatrième étreinte, il saisit le géant par la taille, le maintient en l'air à distance du sol, le serre contre sa large poitrine et, lui coupant la respiration, l'étouffe sans qu'il ait pu reprendre haleine. Alors seulement Antée retrouve la terre, mais pour y être enseveli ! Le temple de Neptune perdait architecte et matériaux.

3. PROCUSTE

Neptune n'était cependant pas un méchant dieu. Comment se fait-il qu'il ait procréé de pareils enfants ? Est-il possible de rêver des êtres aussi cruels et malfaisants, aussi inhumains pouvons-nous dire, puisque c'est à des hommes qu'ils réservaient les tueries et les tortures ? Le génie inventif du mal régnait véritablement dans cette famille. Nous en avons un nouvel exemple avec le brigand Procuste. Celui-ci arrêtait les passants entre les plaines d'Éleusis et Athènes, les dépouillait de leurs biens et de leurs vêtements et les contraignait à s'étendre sur un lit, soi-disant pour mesurer leur taille.

Si le lit était trop court, il coupait les pieds du patient ; si le lit était trop long, des cordes se chargeaient d'étirer les membres, de les désarticuler jusqu'à ce qu'ils atteignissent, coûte que coûte, les deux extrémités de la couche. Or le lit ne correspondait jamais à aucune taille.

Là encore les dieux intervinrent, sans se laisser influencer par l'imagination malsaine du hideux Procuste. Ils engagèrent le héros Thésée à y mettre bon ordre et à lui appliquer ses ingénieux procédés de torture. Thésée exécuta de point en point les instructions et Procuste renonça pour toujours à son fameux lit et pour lui et pour les autres.

XI

PLUTON

A. L'ENLÈVEMENT DE PROSERPINE

DANS le partage du monde, Pluton avait obtenu les *Enfers*.

C'est beau de ceindre son front d'une couronne royale à créneaux ornés de piquants. C'est beau d'avoir pour siège un trône solennel. C'est beau de tenir magistralement un sceptre, fût-il une modeste fourche à deux pointes. C'est beau d'avoir un char attelé de quatre chevaux fringants et plus noirs que l'ébène. C'est beau de commander à d'innombrables sujets dont la quantité s'accroît de jour en jour. C'est beau, bon et original de posséder un gardien sûr et fidèle, un robuste et incorruptible chien, eût-il trois têtes dans un même collier.

Mais tous ces agréments flatteurs seraient bien plus appréciés avec une aimable compagne.

Ces réflexions ne sont pas nôtres. Elles avaient

depuis longtemps germé dans la tête du souverain de l'empire infernal. Depuis longtemps il avait conçu le projet de découvrir l'épouse rêvée. Depuis longtemps, il avait multiplié ses visites à l'Olympe avec l'espoir de rencontrer dans « son monde » la déesse envieuse de son trône et de sa royauté.

Cherchant à plaire, il avait déployé tous les moyens de séduction dont il était capable.

Mais « ses roulements d'yeux et son ton radouci » ne faisaient que provoquer le rire et les sarcasmes des moqueuses divinités. Son aspect et son odeur « infernale » ne répondaient pas aux délicatesses olympiennes. Loin d'attirer, il provoquait le recul.

Après nombre de tentatives infructueuses, le prétendant éconduit pensa mieux réussir auprès des mortelles.

Il donne l'ordre d'atteler son quadrige et se rend dans les campagnes de Sicile où folâtraient de délicieuses nymphes. Ces gentilles enfants ne songeaient ni aux honneurs ni à la gloire. Elles aimaient la vie, le printemps, les jeux, les danses et les ris. Les fleurs surtout avaient leurs préférences. Elles s'en faisaient des couronnes, des ceintures ; elles garnissaient leurs robes de crocus, de glaïeuls, de jacinthes. Ainsi parées, elles s'élançaient dans des rondes joyeuses, puis s'étendaient nonchalamment sur l'herbe embaumée, et remplissaient de roses et de violettes leurs corbeilles de jonc.

La vue du spectacle naïf et charmant, loin d'attendrir le farouche Pluton, ne fit qu'exciter sa convoitise. Ses allures onctueuses ne lui ont guère réussi en Olympe ; il y renoncera sur la Terre et ne reculera pas devant un rapt.

Il accourt. Tout fuit à son aspect ; les nymphes épouvantées gagnent les bois voisins dans une fuite éperdue et disparaissent sous les ombreuses frondaisons.

Une seule, et la plus belle, s'était écartée de ses compagnes. Un narcisse d'un éclat prodigieux avait retenu son attention (on prétend qu'il avait poussé là de par la volonté de Jupiter nourrissant une arrière-pensée malicieuse à l'endroit de son frère Pluton). La jeune fille allait cueillir la fleur quand elle se sentit saisir et emporter ; pour défense, elle n'avait, hélas ! que ses larmes et ses gémissements. Elle versa les unes en abondance, poussa les autres avec désespoir ; et, dernière ressource, elle s'évanouit dans les bras de son lâche ravisseur.

En reprenant ses sens, elle comprit avec effroi qu'elle, Proserpine, la fille préférée de Cérès, était devenue l'épouse de Pluton et souveraine de l'Empire des Morts !

Cependant ses cris avaient été perçus par sa mère, sa mère qu'elle n'avait jamais quittée, sa mère qu'elle adorait. Cérès demande à tous et à chacun ce qu'est devenue sa fille chérie. Où est-elle ? Que s'est-il passé ? Personne n'a rien vu ; personne pour la renseigner. Les nymphes affolées lui disent bien qu'elle fut enlevée de force, mais où ? La pauvre mère se désole. Elle allume en vain des flambeaux sur le mont Etna pour chercher son enfant nuit et jour.

Par bonheur, sur son chemin une douce source, Aréthuse, bien que silencieuse, n'est pas aveugle. Elle a vu passer le terrible char aux quatre chevaux d'ébène. Elle l'a vu conduit par Pluton, enlaçant une vierge évanouie. Ils se sont engagés dans la sombre demeure. Cérès y descend aussitôt, implore la pitié de son frère (car Pluton est son frère, étant tous deux les enfants de Saturne), et réclame sa fille infortunée. Le Dieu des Enfers repousse ses prières. Cérès éplorée va se jeter aux pieds de son autre frère, le souverain des Dieux, le tout-puissant Jupiter. Celui-ci l'écoute avec intérêt et bienveillance, et propose une transaction. Proserpine passera la moitié de l'année dans les bras de sa mère et l'autre moitié dans ceux de son mari.

Après quelques hésitations très compréhensibles de part et d'autre, chacune y mettant du sien, tout finit par s'arranger.

La délicieuse Proserpine jouira, pendant six mois, de tendresse maternelle, et, pendant les six autres mois, d'affection conjugale. Combien d'épouses (mortelles ou déesses) se flattent d'être aussi favorisées ?

B. LES ENFERS

Voyons ce qu'aux charmes du mari le souverain des Enfers ajoutait d'agrément pendant le semestre de cohabitation. Pour nous en rendre compte, rien de tel que de visiter la demeure et ses dépendances.

Armons-nous de patience et de courage. Abordons hardiment les voyages souterrain et sous-marin, pénétrons dans l'ultime profondeur du monde, découvrons une affreuse caverne d'où s'échappent des nuages de fumée. Nous y voici ; entrons, regardons et observons.

L'aspect général est triste et désolé ; le sol aride ne produit rien ; çà et là des ronces et des épines ; de rares cyprès ; pas de plantes, pas de fleurs, encore moins d'animaux ; comment vivraient-ils dans une atmosphère chargée de vapeurs pestilentielles ?

Un fleuve sombre et limoneux apparaît : l'Achéron, gonflé par les ondes du Phlégéton et du Cocyte, grossi des larmes des méchants. Viennent s'y ajouter les eaux noirâtres du Styx redouté des Immortels eux-mêmes. Le serment le plus solennel était prêté sur le Styx ; les dieux n'osaient y manquer sous peine d'être privés pendant cent ans des privilèges de la divinité. Ainsi l'avait ordonné Jupiter.

De vagues ombres s'étendent à perte de vue le long de ces fleuves. Ce sont les âmes de ceux qui ont cessé de vivre. Mercure les amène par groupes sans cesse renouvelés. Elles attendent le moment de passer à l'autre bord. Une seule barque remplit cet office, la barque de Charon. N'y entre pas qui veut. D'abord, il faut régler un droit de péage : point d'obole, point de nocher.

Ces ombres misérables erraient sur les rives, pendant cent ans (c'est le délai fatidique) en compagnie de celles dont les corps furent privés de sépulture. Ni prières ni plaintes ne fléchissaient l'inexorable batelier.

De l'autre côté de l'eau, un carrefour, dit le Champ de Vérité. Deux routes s'en détachent : l'une pour pénétrer dans les profondeurs du Tartare, l'autre pour conduire aux Champs Élyséens.

Une large porte d'airain ferme l'accès défendu par Cerbère, le chien tricéphale, au grondement furieux, à la dent féroce.

À distance s'élève le palais de Pluton.

De belles colonnes encadrent le trône qu'il occupe avec Proserpine, dont la grâce jette une note reposante dans ce funèbre milieu. Tout autour voltigent, avec des ailes dentelées de chauve-souris, les vices, et les crimes. Pourquoi les énumérer ? Ils ne sont que trop connus et l'on voudrait ne jamais avoir à s'en souvenir. Au-dessous, la Mort au rictus hideux, aux membres décharnés, s'accroupit, tenant dans ses mains osseuses le fatal registre où s'inscrivent incessamment les noms de ses victimes. Son sceptre à elle, c'est une faux qui tranche la vie des mortels.

1. *Les Parques*

Voyez là-bas, pas bien loin, ces trois vieilles filles, aussi laides que vieilles, sans cesse occupées et n'ayant pas une minute à elles, même pour médire du prochain. Elles font pire. Satellites de la Mort, elles tissent les jours de tous les humains. L'aînée, si l'on peut discerner leurs âges, Clotho, a la quenouille ; la seconde, Lachésis, place le fil sur le fuseau et le présente à la troisième, Atropos, chargée du coup de ciseau final.

Ces trois horribles duègnes tirent leur nom de *Parques* du mot latin *parcere* qui signifie épargner. Il y a là certainement une ironique et amère étymologie : car elles, non plus que leur insatiable inspiratrice, n'épargnent jamais personne.

2. *Les trois juges des Enfers*

Avançons un peu, et approchons-nous du trône de Pluton. À ses pieds et sous son contrôle, Éaque, Rhadamanthe, et Minos,

Qui jugent aux Enfers tous les pâles humains.

La Renommée prétend que ces juges n'ont jamais commis la moindre erreur. Acceptons-en l'augure. Leurs décisions sans appel et sans recours étaient exécutées par Némésis, déesse de la Vengeance. Nous la voyons survolant le trône de Pluton, armée de serpents et prête à fondre sur les méchants et sur les criminels.

3. *Le Tartare*

Ces méchants et ces criminels ont leur place réservée dans le noir Tartare, pour expier éternellement leurs fautes et leurs forfaits. On y découvre pêle-mêle les âmes des fourbes et des hypocrites, des assassins et des parjures. Quels que furent leurs rangs ou leur fortune sur terre, ils sont tous inexorablement frappés et impitoyablement châtiés.

4. *Tantale*

Parmi les plus connus, Tantale est communément cité à cause du singulier supplice auquel il fut condamné.

Roi de Lydie, il reçoit les dieux en visite et les convie à un repas somptueux. Afin d'éprouver l'efficacité de leur puissance, une fâcheuse idée traverse son esprit : au milieu du festin, il leur offre les membres de son propre fils Pélops.

Indigné contre un père dénaturé, blessé dans son orgueil pour le mépris de sa divinité, Jupiter condamne le coupable à avoir toujours faim, toujours soif. À Mercure le soin d'appliquer la sentence. Le messager céleste enchaîne Tantale, le place auprès d'une source fraîche et limpide, surmontée de branches couvertes de fruits. Veut-il boire ? L'eau s'éloigne. Élève-t-il la main pour prendre un fruit, les branches se redressent hors de sa portée. Son désir inassouvi est un supplice cruel qui porte son nom, le *supplice de Tantale*.

5. *Ixion*

Un autre prince, Ixion, le roi des Lapithes, en Thessalie, avait, pour épouser Dia, la fille de Déionée, promis de magnifiques présents. Le mariage conclu et célébré, Ixion oublie et même refuse de s'exécuter. Déionée proteste et commence par enlever les chevaux de son gendre. Ce dernier attire son beau-père dans un guet-apens, l'installe au-dessus d'une trappe qui dissimule un ardent brasier. La trappe glisse et l'infortuné père de Dia, tombé dans la fournaise, est brûlé vif.

Les remords de son parjure et de l'horrible assassinat ne tardèrent pas à troubler Ixion et à lui rendre la vie insupportable. Jupiter en eut pitié. Comme c'était un causeur agréable et spirituel, et, de plus, un joyeux convive, il l'invite à s'asseoir à la table olympienne. Le souper fut délicieux, la conversation charmante. Ixion en fit les frais, fort apprécié de tous. Lui aussi était bon appréciateur... de la beauté. Celle de Junon produisit à ses yeux une vive impression qu'il ne craignit pas de déclarer à celle qui l'inspirait.

Outragée dans sa double dignité de déesse et d'épouse, la reine des dieux repousse l'audacieux qu'elle signale à Jupiter. Le maître de l'Olympe, incrédule, veut avoir la certitude que sa fidèle compagne ne s'est point méprise. Il fait descendre dans un bosquet obscur et désert une blanche nuée empruntant la forme de l'altière Junon. Dupe de l'apparente similitude, le convive de la veille renouvelle ses protestations avec plus d'ardeur que jamais. La nuée s'évapore. Déception d'Ixion. Conviction de Jupiter. Conclusion : Ixion, foudroyé, précipité dans les Enfers, écartelé sur une roue tournante à mouvement perpétuel, réfléchira sur le danger d'attenter à l'honneur des souverains de l'Olympe.

6. *Sisyphe*

Avec Sisyphe et son rocher, nous assistons à des exercices de force.

Plusieurs versions courent sur l'origine de ses malheurs. Certains racontent qu'il se considérait comme l'égal des dieux, dieu lui-même. Pour appuyer cette prétention et se comparer avec le maître du tonnerre, il aurait construit un pont d'airain bien solide et bien sonore ; il y faisait rouler son char, de préférence pendant la nuit, projetait des brandons en flammes, et simulait ainsi le grondement de la foudre et l'éblouissement des éclairs. L'honneur de cette combinaison étourdissante et aveuglante reviendrait plutôt à son frère Salmonée, qui d'ailleurs lui tient compagnie dans l'enclos des méchants.

D'autres commentateurs, qui paraissent plus véridiques, prétendent que Sisyphe était tout simplement un affreux brigand de l'Attique, pillant et égorgeant les voyageurs. Doué d'une grande finesse, artificieux et rusé, il fut assez adroit pour capturer le dieu de la Mort. Mars délivra celui-ci et Sisyphe fut enchaîné aux Enfers. En présence de Pluton, il prétexta que sa femme n'avait pas célébré ses funérailles d'une façon convenable. Il postulait quelques jours de liberté pour l'aller réprimander et punir comme elle le méritait. Son éloquence persuasive triompha des hésitations de Pluton. Mais une fois sur terre, Sisyphe s'y trouva bien et omit de rentrer au sombre empire. On dut l'y ramener par l'intermédiaire de Mercure. À son tour il méritait un châtiment. Il l'obtint, et fut contraint de pousser éternellement, du bas en haut d'une montagne, une pierre colossale, laquelle, à peine arrivée au faîte, en retombait précipitamment pour que fût recommencée l'ascension sans discontinuer. Ainsi faisait le *Rocher de Sisyphe*.

7. *Les Danaïdes*

Nous serions impardonnable de ne pas mentionner les Danaïdes, au fameux tonneau desquelles sont faites de fréquentes allusions.

Les Danaïdes sont les filles de Danaüs, roi d'Argos.

Elles étaient cinquante. Danaüs avait un frère, Égyptus, qui possédait cinquante fils. Le roi d'Argos, en bon père de famille, économe de ses deniers, projeta d'unir cousines et cousins germains et de fêter en une seule fois les cinquante mariages. La dépense serait relativement minime, les dérangements moins nombreux, et le voilà débarrassé de la préoccupation de caser ses filles, préoccupation toujours angoissante pour un père. L'idée n'était pas mauvaise. Un seul point noir troublait le cerveau paternel. N'avait-il pas ouï dire que l'un de ses neveux, devenu son gendre, aurait l'intention de rayer son oncle et beau-père de la liste des humains ? Cette perspective n'était pas de son goût. Un de ses neveux ? Un de ses gendres ? Lequel ? Comment choisir dans la quantité ? Sa perplexité disparut devant une détermination soudaine. Il enjoindrait à ses filles, à ses chères filles, de poignarder tout simplement leurs époux respectifs, — chacune le sien, — dès la première nuit de noces. Dociles aux ordres de l'auteur de leurs jours, les Danaïdes exécutèrent le programme tracé, sauf une, Hypermnestre, qui épargna son époux, Lyncée, lequel n'épargna pas Danaüs, afin de ne pas contrevenir à la prédiction. Les autres sœurs, trop obéissantes filles, mais peu tendres épouses furent punies impitoyablement. Jupiter les précipita dans le noir Tartare, condamnées à puiser éternellement de l'eau pour remplir un tonneau percé de mille trous : *le tonneau des Danaïdes*.

Pour terminer, donnons sur le Tartare les précisions empruntées à la *Théogonie* d'Hésiode et aux récits d'Homère : « Le *Tartare* est aussi loin de la surface que la Terre l'est du Ciel. Tombant du Ciel, une enclume d'airain roulerait pendant neuf jours et neuf nuits et la dixième, et ne toucherait pas encore la Terre. Tombant de la Terre, elle descendrait neuf autres jours, neuf autres nuits, et, la dixième nuit seulement, elle entrerait dans le Tartare. »

C. LE LÉTHÉ. LES CHAMPS ÉLYSÉES

À la fin de notre excursion dans le séjour de la Douleur et du Châtiment, nous arrivons sur les bords du *Léthé*. L'eau de ce fleuve qui coule lentement possède une propriété souveraine : en boire, c'est oublier ! Oublier les peines et les chagrins de l'existence, n'est-ce pas la véritable félicité ?

Seules étaient admises à s'y désaltérer les âmes des bons, des sages et des vertueux, désignées par les trois juges pour traverser le fleuve et pénétrer dans les *Champs Élysées*.

Figurez-vous un lieu de délices, un printemps perpétuel, des arbres de toutes essences odoriférantes, de gais ruisseaux gazouillant à travers les prés fleuris et dans les sentiers ombreux ; un ciel pur et sans nuages, une température douce et uniforme : jamais d'excessive chaleur, jamais de froid rigoureux ; les oiseaux au brillant plumage animent de leurs chants cette nature privilégiée.

Peut-on rêver un plus agréable séjour ? Les bienheureux qui l'habitent sont exempts des inquiétudes et des soucis ; aucun désir, aucune envie ne les trouble. Les fleurs du printemps rivalisent avec les fruits de l'automne. La lumière exquise du jour naissant est constante, l'obscurité de la nuit, inconnue. Chacun se livre à ses occupations préférées, toujours satisfait, goûtant à loisir le repos sur les moelleux gazons. Impossible d'espérer mieux pour reprendre une vie éternellement heureuse, remplissant l'âme de joie et de béatitude.

XII

VULCAIN

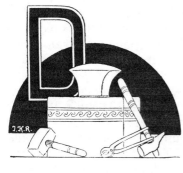

E l'union de Jupiter et de Junon naquit un fils. L'enfant était sain, solide, vigoureux. Oui, mais il n'était pas beau ; il était même laid, très laid ; à ce point que les parents se consultèrent pour ne pas avoir sous les yeux un être sorti de leur sang et si contraire à l'esthétique.

La délibération ne fut pas longue. Ils se regardèrent et se comprirent : on le chasserait du ciel. Aussitôt conçu, le plan est exécuté. Le malencontreux enfant, nommé Vulcain, est projeté sur la terre. Par qui ? Par le père ou par la mère ? On n'est pas fixé. Le certain, c'est qu'il tourbillonna toute une journée dans les airs pour choir, au crépuscule, dans l'île de Lemnos.

Il mit moins de temps à parcourir la distance que n'aurait fait l'enclume d'airain dont nous avons parlé à propos du Tartare.

On ne sera pas surpris qu'en tombant d'une pareille hauteur, il se soit cassé la jambe. De braves femmes habitaient l'île ; elles recueillirent l'envoyé céleste, le soignèrent et le guérirent, mais ne purent remettre ses jambes d'égale longueur. Vulcain resta boiteux.

Mal partagé au physique, l'enfant l'était mieux du côté de l'âme et de l'intelligence. Ingénieux et laborieux, voire artiste, Vulcain, se résignant à sa triste condition, prend le métier de forgeron à l'école d'un nain expert en l'art de ferronnerie.

Ses premiers essais se bornent à des colliers, bracelets, parures ; il les offre aux jeunes filles en reconnaissance des bons soins dont elles l'avaient comblé.

D'année en année ses progrès s'accusent rapides. Il s'attaque à des œuvres plus importantes et plus délicates : il offre des flèches à Apollon et garnit le carquois de Diane. Son habileté et son goût s'affirment et lui permettent de concevoir et fabriquer des « pièces » mémorables : un sceptre en or pour Jupiter, une faucille pour Cérès, la cuirasse d'Hercule, l'armure et le bouclier d'Achille. Les dieux ne sont pas oubliés : chacun reçoit un fauteuil mobile qui se rend de lui-même à leur assemblée. Tant d'adresse et d'ingéniosité attendrirent le cœur du maître de l'Olympe.

En somme, Vulcain était son fils, il ne pouvait le nier. Le geste brusque, accompli lors de sa venue au monde dans un moment d'irascible vivacité, était regrettable. Pour conjurer le mal produit et dédommager dans la mesure du possible le pauvre estropié, Jupiter le nomme dieu du Feu et Roi des Cyclopes. Il aura de nouveau accès dans l'Olympe dont il fut si cruellement expulsé.

Profitant de la permission, Vulcain regagne l'Empyrée[1], se jette aux pieds de son père et solli-

1. Partie la plus élevée du ciel, habitée par les dieux.

cite une épouse. Jupiter promet d'accéder à son désir :

« Mais, dit-il, toutes les déesses sont pourvues ; une seule reste libre, ma propre fille, Minerve, dont l'aversion pour le mariage est irrévocable ».

Forcé de s'incliner devant cette objection péremptoire, Vulcain retourne au souterrain séjour. Il se remet à ses forges, et puisque ses fauteuils pour les dieux ont produit un si heureux effet, il en confectionnera un de sa façon pour sa mère !

Tout docile et affectueux fils qu'il veut être, il ne peut oublier l'accueil ironique qu'il reçut à son retour dans l'Olympe de la part des divinités, y compris Junon. Il se met énergiquement à l'œuvre, fait appel à tout son talent et à son génie vindicatif et met « sur pieds » un trône magnifiquement orné, digne de l'universelle admiration.

Séduite par la splendeur et l'élégance d'un meuble nouveau, Junon ne peut résister au plaisir d'y prendre place.

Aussitôt installée, la reine des dieux, l'épouse de Jupiter, la mère de Vulcain, subitement enlacée par des liens invisibles, se trouve immobilisée sur son trône. Elle tente de se lever. Efforts superflus. Tous les dieux se réunissent pour l'en détacher, sans plus de succès. Vulcain seul pourra conjurer le maléfice. Jupiter le rappelle.

Le divin forgeron consent à rompre le charme à une condition : la plus belle de toutes les déesses, Vénus en personne, deviendra sa légitime épouse.

Junon recouvre sa liberté, et Vulcain devra se féliciter d'avoir obtenu en justes noces la future mère de Cupidon !

LES CYCLOPES

À peine arrivé dans Lemnos, Vulcain, vous le savez, s'était hardiment consacré au travail. Son essence divine ne fut pas étrangère aux rapides progrès qu'il réalisa dans l'état de forgeron. Son esprit créateur et imaginatif ne tarda pas à se révéler audehors de son île. La Renommée aux cent bouches et aux cent trompettes le proclama *urbi et orbi*[1]. Les premiers ateliers de Lemnos, où il avait commencé son apprentissage et fait « ses premières armes », devinrent insuffisants. Les commandes affluaient de la part des dieux, des demi-dieux et d'illustres mortels. Il dut « s'agrandir » et installer d'immenses forges dans les cavernes du mont Etna dont le cratère tout indiqué laissait échapper flammes et fumées. Vous pensez bien qu'il ne pouvait suffire tout seul à la fabrication. Il eut l'adresse de s'adjoindre une centaine d'ouvriers triés sur le volet possédant une robustesse peu commune. Ces collaborateurs improvisés étaient les *Cyclopes*, dont le nom signifie « œil rond ». Nous ne vous décrirons pas à nouveau leur portrait dont vous avez eu un exact spécimen avec le plus célèbre d'entre eux, Polyphème.

Quant à leur genre de travail et au zèle qu'ils déployaient, nous ne pouvons mieux faire que d'emprunter au beau poème de Henri de Régnier, *la Cité des Eaux*, l'exposé qu'en donne le Cyclope lui-même :

> C'est nous qui sous la terre, émue à notre haleine,
> En cadence frappons l'enclume souterraine

---

1. « À la ville et au monde », selon la célèbre expression latine, c'est-à-dire « partout ».

Dont l'Etna porte au Ciel la nocturne lueur.
Nous sommes là, couverts d'une chaude sueur,
Occupés, dans la nuit furieuse et sans astre,
À fondre le métal que nos marteaux vont battre.
Il court, fusible et clair, s'allonge et s'étrécit ;
Brûlant, il étincelle ; et, froid, il se durcit.

Ces travailleurs infatigables étaient enfants mi-partie du Ciel et de la Terre, mi-partie de Neptune et d'Amphitrite.

Entre autres prouesses de leurs travaux, ils avaient forgé la foudre. Cette foudre, dans la main de Jupiter, servit à pulvériser Esculape[1], fils d'Apollon. Celui-ci, ne pouvant assouvir sa rancune sur le maître des Dieux, s'en prit directement aux Cyclopes, simples manœuvres. Il les extermina jusqu'au dernier à coups de flèches ; et de quelles flèches ? De celles-là mêmes que Vulcain lui avait offertes.

1. Voir ci-après, chapitre XIV, « Apollon-Phœbus », p. 92.

XIII

VÉNUS

PERCEVEZ-VOUS là-bas, là-bas, venant de l'horizon, une ample conque marine voguant sur les flots bleus de la Méditerranée ? Le soleil en argente les contours dentelés par la vague écumante.

Mollement bercée au souffle embaumé des caresses de Zéphire, elle approche lentement du rivage de Chypre, y échoue, s'entrouvre. Une ravissante créature uniquement revêtue d'éclatante beauté surgit à vos yeux. Vous assistez à la naissance de *Vénus*, de *Vénus Anadyomène* (qui signifie *sortie hors de l'eau*).

Les *Heures*, filles de Jupiter et de Thémis, déesse de la Justice, s'empressent à la recevoir sur la grève. Elles se partagent le plaisir et l'honneur de la faire profiter de leur savoir et de leur expérience. Elles lui enseignent la grâce et la simplicité, lui donnent l'instruction sans pédantisme, inhérente à toute bonne éducation. Inutile de s'occuper de la parure et de la coquetterie, la nature prodigue s'y est généreusement employée. De discrètes guirlandes de feuillage suffiront pour aviver la lumineuse blancheur d'un corps immaculé ; une couronne de myrtes et de roses se posera sur la blonde chevelure, aux reflets dorés, qui encadre l'enchantement nacré de ses impeccables épaules. Elles n'eurent garde d'oublier la divine et mystérieuse ceinture qui devait rendre irrésistibles les attraits de Vénus.

Rien ne manque plus pour la présenter à la Cour céleste.

Accompagnée des *Grâces*, montée sur un char attelé de blanches colombes, son arrivée dans l'Olympe fit sensation. L'accueil est enthousiaste. La vérité nous oblige à reconnaître qu'une moue significative déforma légèrement les jolies lèvres des déesses. Une redoutable concurrente apparaissait à leurs jaloux regards. Mais Jupiter est charmé ; les dieux hypnotisés se disputent la faveur d'obtenir la main de l'enchanteresse. On sait comme ils furent éconduits et comment la belle Vénus dut se résigner à Vulcain [1].

La voilà donc reine du Feu, reine des Cyclopes. Une royauté, cela fait toujours plaisir et provoque un premier tressaillement d'orgueil et d'amour-propre. Toutefois, une royauté qui s'exerce dans l'obscurité souterraine, péniblement percée de brasiers incandescents ; une royauté, dont les sujets, à « l'œil unique », au corps velu souillé des scories et des limailles échappées des tenailles et des fourneaux, offusquent l'odorat et la vue ; une royauté qui ne connaît d'autre concert que celui des lourds marteaux frappant sur les enclumes massives ; est-ce là une

---

1. Voir ci-dessus, chapitre XII, « Vulcain », p. 79.

royauté pour la déesse frêle et délicate chargée d'en ceindre la couronne ?

En toute impartialité, la réponse affirmative est douteuse.

Quant à Vénus, ni sa personne, ni ses goûts, ni son caractère ne lui permettent de s'en accommoder.

Son instinct volage va donner lieu à de nombreuses péripéties, inhérentes à l'union contrainte et mal assortie, exigée par l'implacable volonté de l'aveugle Destin.

1. VÉNUS ET MARS

Le mariage inopiné de Vénus n'avait contenté personne, et, comme bien vous pensez, les langues olympiennes s'étaient déliées, les commentaires railleurs avaient mené leur train au milieu des moqueries et des sarcasmes.

Les candidats évincés — et ils étaient nombreux — supportaient malaisément leur amère déconvenue, et plusieurs n'avaient pas renoncé aux faveurs de la séduisante déesse. Deux surtout déployaient une noble ardeur à sa poursuite : Phœbus, le dieu du Jour, et Mars, le dieu de la Guerre.

Ils n'ignoraient pas leur rivalité, et, par une entente tacite, s'arrangeaient à ne pas se rencontrer.

Vénus les fuyait l'un et l'autre. Aucun ne pouvait se vanter d'être l'heureux élu. Cependant, à force d'insistance, Mars obtint la promesse d'intimes causeries au crépuscule. Sachant qu'en agréable compagnie les heures s'envolent rapides, et craignant de les oublier avant le lever du soleil, il chargea son ami et confident, Alectryon, de le prévenir, dès que Phœbus ouvrirait les fameuses portes de l'Orient. Tout alla bien pendant quelque temps, mais une nuit, nuit

VÉNUS

Vénus et Mars.

Entrez dans la légende

— Quels sont les attributs de Mars ?
— Pourquoi Diane et Mars ont-ils l'air surpris ?
— Décrivez le troisième « personnage ».

fatale ! le veilleur s'endormit, et les premiers feux du jour révélèrent au dieu Soleil qu'il n'était pas le préféré.

Rouge de colère, Phœbus descend chez Vulcain et le met au courant.

Le dieu du Feu remercie le dieu du Jour et médite de confondre les coupables dans la honte et le ridicule.

Mettant à profit les ressources de sa profession, Vulcain trame un filet aux mailles arachnéennes [1] et invisibles, mais d'une solidité à toute épreuve, le jette sur le couple qu'il emprisonne, et convie tous les dieux à contempler le spectacle. Les dieux, accourus avec empressement, se moquent, non des captifs, mais du geôlier.

Le divin boiteux retourne en maugréant auprès de ses Cyclopes.

Mars et Vénus, confus d'avoir été surpris, s'enfuient, chacun de son côté, l'un dans la Thrace, son pays natal, l'autre gagne l'île de Chypre, sa retraite préférée, et presse maternellement sur son sein un gentil enfant au malin sourire, ayant de blanches ailes aux épaules, et tenant dans sa main mignonne un carquois doré garni de flèches très pointues. C'est le futur dieu des Amours, le dangereux Cupidon.

2. VÉNUS ET ADONIS

Ni l'or ni la grandeur ne contentaient le cœur de Vénus ; il était plus sensible à la jeunesse et à la beauté qu'à l'apparat de la gloire et des honneurs. Cette jeunesse et cette beauté se rencontraient difficilement

---

1. Qui ont la finesse d'une toile d'araignée (voir l'histoire d'Arachnée, p. 50).

dans la société olympienne, bien moins encore dans son palais de l'Etna.

Elle était vive, alerte ; elle avait besoin d'air, de mouvement, d'exercice, et ne pouvait se confiner dans les entrailles de la terre, entre un mari mal façonné et ses noirs ateliers.

Après son aventure avec Mars, elle jouissait du calme et de la tranquillité, se bornant au plaisir de la chasse et de la course à travers montagnes, rochers et forêts. À la voir errer, jambes nues et jupe courte, on l'eût prise pour la Diane chasseresse, sœur d'Apollon.

Le hasard voulut que dans les mêmes parages un adolescent prît ses ébats à la poursuite des biches et des cerfs.

Vénus l'aperçoit et s'arrête, subitement troublée par une émotion violente. Son rêve de jeunesse et de beauté était réalisé : elle avait devant elle le séduisant *Adonis*, fils de Cinyre, roi de Chypre, et de Myrrha.

Grand chasseur par goût, comme elle chasseresse par occasion, le même plaisir les entraînait ; la sympathie les réunit et ils ne se quittèrent plus.

Que de joyeuses randonnées ! Que de périlleuses ascensions ! Que d'intrépides descentes ! Que de folles courses dans les plaines ! C'était plaisir de les contempler côte à côte.

La même impression n'était pas ressentie par le dieu Mars. Cette intimité réveilla dans son âme une jalousie rétrospective. Abandonné par Vénus, il n'admettait pas qu'elle cherchât des compensations. En vertu de sa puissance divine, il inspira au bel Adonis la farouche passion de s'attaquer aux bêtes dangereuses telles que les sangliers auxquels il emprunta lui-même et la forme et la brutalité.

Dans une première rencontre, d'un énergique coup de boutoir il lui transperce la cuisse ; le sang s'écoule en abondance, Adonis gît sur le sol. Vénus le relève, gémit, soupire. Elle ne peut que recevoir le dernier souffle du mortel auquel elle avait donné toute son affection, tout son amour. Sa seule consolation sur terre fut de faire éclore du sang coulant de la blessure du bien-aimé la plus douce et la plus élégante des fleurs, l'éphémère anémone, la fleur du fugace printemps.

Vénus ne se remettait pas de la perte de son adoré, qu'elle ne devait plus jamais revoir puisqu'il avait franchi le Styx et pénétré dans le royaume des Ombres, interdit même aux Immortels. Une cruelle déception attendait cependant la malheureuse amante. Dans ce royaume inaccessible vivait une autre déesse dont c'était le séjour attitré, Proserpine.

L'épouse de Pluton fut sensible aux charmes d'Adonis. Vénus l'apprit ; son désespoir s'en accrut. Elle se jette aux pieds de Jupiter, l'implore avec larmes et sanglots, le conjurant de rendre Adonis à la vie. Le maître des Dieux, sur le point de fléchir, voit arriver Proserpine qui proteste énergiquement contre la prétention de Vénus. Les morts lui appartiennent à elle, Proserpine ; ils font partie de ses sujets et ne peuvent abandonner son empire. Elle somme le Grand Juge, l'arbitre souverain, de respecter ses droits imprescriptibles.

Bien embarrassé devant de légitimes arguments, Jupiter, toujours conciliant, décide qu'Adonis sera le compagnon de chacune pendant six mois, à tour de rôle. Les deux rivales subissent, bien malgré elles, l'inflexible arrêt.

Proserpine déclara le premier semestre lui appartenir. Vénus se retira morose, devant attendre pendant une demi-année le retour de celui qu'elle n'aurait jamais voulu quitter et dont le souvenir reste gravé dans son cœur.

XIV

APOLLON-PHŒBUS

ATONE, fille du Titan Cœus, s'était entendue avec Jupiter pour donner le jour à deux enfants, une fille et un garçon. Junon, prévenue, voua une haine bien compréhensible à l'intrigante et la fit poursuivre sans trêve par le serpent Python. La fugitive ne trouvait nulle part un asile propice et protecteur. Mais elle avait l'appui des dieux. Tandis qu'elle survolait les mers, prête à périr engloutie dans les flots, Neptune, d'un coup de son impérieux trident, fit surgir une île, Délos, où Latone, à bout de forces, put enfin s'arrêter et goûter un repos réparateur. Diane et Apollon naquirent dans cette île.

Ils étaient si beaux tous deux qu'ils suscitèrent l'envie d'une reine des environs, Niobé, qui, comme mère, n'admettait pas être la moins favorisée. Dans sa colère, elle chassa Latone de sa présence. Devant un tel affront, Apollon et Diane percèrent de leurs flèches la progéniture de Niobé, ainsi cruellement punie de son orgueil.

Admis ensuite dans l'Olympe, les deux enfants de Jupiter et de Latone burent à la coupe des dieux le nectar et l'ambroisie dispensateurs de l'immortalité. Diane devint la déesse de la Chasse ; Apollon personnifia Phœbus, dieu du Soleil.

Il faut vous dire que ce fils de Latone était destiné à mener une existence en partie double, tantôt sur terre et tantôt dans les cieux. D'où ses deux noms, souvent juxtaposés : Apollon sur notre modeste argile, Phœbus au haut du firmament.

Pour l'instant, nous l'appellerons Phœbus, puisqu'il est encore dans l'Olympe.

Or, Phœbus était père ; Esculape, son fils, pratiquait l'art de la médecine avec succès, même avec trop de succès au gré de Pluton, car il guérissait nombre de malades dispensés par lui du trépas. Le dieu des Enfers, voyant se ralentir l'arrivée des morts, n'y trouvait plus son compte. Il s'en ouvrit durement à son frère Jupiter, déclarant Esculape coupable de sa science à soigner les vivants. Jupin, frappé de la justesse du raisonnement, lance la foudre, toujours à sa portée, et pulvérise le trop habile Esculape. Phœbus s'en prend aux Cyclopes, les forgerons du tonnerre, et les suprime. Au tour de Vulcain de faire retentir de plaintes et de récriminations le palais de Jupiter et de réclamer une exemplaire punition. Il l'obtient. Phœbus ne compte plus pour l'instant parmi les habitants du Ciel.

Contraint de chercher sur la Terre un refuge, nous le trouvons, sous le nom d'Apollon, la houlette en main, gardant les troupeaux du roi Admète, dans les montagnes de Thessalie.

Participant à la vie des bergers, il les attira d'abord aux accents de sa flûte inspirée, gagna rapidement leur confiance, instruisit ces modestes pasteurs coutumiers d'une vie sauvage. Il leur apprit à goûter les charmes de la vie champêtre, à apprécier les douceurs du printemps, le parfum des fleurs, le murmure des ruisseaux, le silence des nuits et le chant des oiseaux. Entraînées par les accents de la flûte, les innocentes bergères dansaient gaiement sur les pelouses verdoyantes. Apollon, par sa seule présence, amenait avec soi le calme, la joie et le bonheur.

1. DAPHNÉ

Pendant les longues séances consacrées à la surveillance des brebis, Apollon voyait passer les nymphes du mont Ossa. Une d'elles, Daphné, trouva rapidement le chemin de son cœur. Il entreprit de lui plaire et de l'épouser. Les galants propos, les talents du flûtiste ne déterminaient pas le consentement de la vierge aux pieds légers. Elle sut échapper au soupirant qui voulait l'atteindre dans sa fuite. Sur le point d'être saisie, Daphné, fille du fleuve Pénée, invoque l'assistance paternelle. Tout à coup, son corps se transforme en laurier au vert feuillage. Apollon ne l'avait rejointe que pour l'entourer de ses bras dans un froid et premier baiser.

En souvenir de celle qui lui fut chère, il détacha quelques feuilles de l'arbre inanimé, en tressa une couronne qui, dans l'avenir, consacrera la gloire des héros et des hommes illustres, poètes et guerriers.

Deux autres chagrins devaient atteindre l'âme sensible du fils de Latone.

Son fidèle camarade de chasse, Cyparisse, eut le malheur de frapper mortellement une biche dont Apollon avait adopté la douce présence. Un cuisant regret plonge dans une profonde douleur l'infortuné jeune homme et lui rend la vie intolérable. Il appelle la mort. Les dieux pitoyables l'entendent et le métamorphosent en cyprès devenu le symbole de la tristesse.

Un autre favori d'Apollon, le pâtre Hyacinthe, avec lequel il s'exerçait au jeu du disque, reçut en plein front le lourd palet de plomb. Apollon le relève inanimé et du sang de la blessure voit sortir la pâle fleur qui porte le nom du pauvre petit berger, la hyacinthe[1] au pénétrant parfum.

2. PHAÉTON

Partout où il s'était présenté, Phœbus-Apollon recevait l'accueil le plus sympathique. Il avait remporté sur terre de légitimes succès tant auprès du roi Admète, qui lui savait gré d'avoir instruit et civilisé ses sujets, qu'auprès des bergers et des bergères dont il avait conquis les bonnes grâces et l'admiration.

Les dieux et les déesses conservaient de lui le meilleur souvenir et supportaient son exil avec impatience. Cédant à leurs sollicitations, Jupiter le rappelle et le rétablit dans ses droits et dignités.

Pendant son séjour en Thessalie, Apollon, tout en gardant une tendre pensée pour la chaste Daphné, avait épousé la nymphe Clymène, fille de l'Océan et de Téthys. Il en eut un fils, *Phaéton*.

Phaéton était un bel enfant ; grandissant, il devint superbe. Infatué de son illustre origine, il s'en glorifiait à tout propos auprès de ses compagnons de jeux qui s'irritèrent de sa vantardise. L'un d'eux, plus nerveux que les autres, Épaphus[2], fils lui-même de

---

1. Que l'on écrit aussi « jacinthe ».
2. Voir chapitre VII, 3, « Io », p. 36.

Jupiter et d'Io, se moqua ouvertement de Phaéton, le persifla et traita ses prétentions d'imaginaires. Phaéton, blessé dans son orgueil, en appelle à Clymène sa mère, qui lui conseille d'invoquer le témoignage de Phœbus-Apollon. Phaéton gravit le chemin céleste et se présente en larmes au dieu du Soleil. Intimidé d'abord par la majesté du lieu rutilant d'or et de pierreries, puis rassuré par le bienveillant accueil de Phœbus, Phaéton reprend ses esprits.

— Ô mon père vénéré, s'écrie-t-il, vous, l'époux de Clymène ma mère, vous le maître du Jour, on vous outrage en ma personne et je viens faire appel à votre puissance !

— De quoi s'agit-il, mon cher fils ? répond Phœbus. Quoi que vous me demandiez, je jure par le Styx de vous l'octroyer comme gage de ma tendresse.

— On conteste ma naissance, mon père, reprend Phaéton, on me traite d'imposteur. Pour relever l'injure, je sollicite l'honneur de conduire un jour, un jour seulement, le char du Soleil. Cette preuve indéniable de votre affection confondra la calomnie et proclamera l'honneur de Clymène.

Phœbus ne s'attendait pas à cette supplique. Or, il avait promis, et par quel serment ! Par le Styx, le Styx redouté des dieux ! Il tâche de dissuader Phaéton, lui objecte sa jeunesse et son inexpérience, signale les dangers de l'entreprise. Aucun conseil, aucune crainte n'arrête le téméraire jeune homme. Sa ténacité inébranlable le confirme dans son idée que seul le moyen qu'il préconise atteindra son but. Les médisants seront convaincus et s'inclineront devant sa glorieuse naissance.

Phœbus-Apollon ne résiste pas davantage. Il a juré et juré par le Styx. Quelle imprudence ! Il abandonne donc son char fulgurant, et le remet en tremblant à l'intrépide jeune homme. L'inquiétude paternelle ne ménage pas les recommandations au novice automédon [1]. Qu'il conduise avec prudence ! qu'il retienne d'une main légère les coursiers fougueux ! qu'il gravisse lentement la montée, et qu'arrivé sur le faîte il ménage la descente !

Phaéton impatient écoute d'une oreille distraite ces trop sages avis. Il bondit joyeux sur le char, s'empare des rênes, actionne les coursiers de la voix et du geste, et le voilà entraîné dans une allure incohérente et folle.

S'écartant constamment de la route tracée, tantôt il s'abaisse, et, trop proche de la terre, brûle les moissons et les arbres, tarit les lacs et les rivières ; tantôt il s'élève outre mesure et tout périt par l'intensité du froid. Cybèle, la bonne déesse, la Grande Mère, pousse un cri d'alarme. Jupiter l'entend, voit l'effroyable désordre. Un seul moyen pour y remédier : supprimer la funeste cause. Phaéton foudroyé tombe dans un fleuve d'Italie, l'Eridan [2], qui sera son éternel tombeau.

Le téméraire conducteur avait un ami fidèle, Cycnus, qui pleurait sa perte et cherchait à découvrir le corps de l'infortuné. Apollon le métamorphosa en cygne. Les sœurs de Phaéton, non moins désolées, trouvèrent le terme de leur douleur, transformées en peupliers argentés bordant les placides rivières.

3. LES MUSES

Depuis que je vous entretiens d'Apollon, vous êtes sans doute quelque peu surpris que je n'aie pas

---

1. *Automédon* est le nom du conducteur du char d'Achille pendant la guerre de Troie. Devenu nom commun, il désigne un habile cocher.
2. Aujourd'hui, le Pô.

encore à son sujet prononcé le nom des *Muses*. J'y arrive.

Dans sa prime jeunesse, Apollon, fils de Jupiter et de Latone, parcourait le mont Parnasse [1] dont il aimait les somptueuses feuillées. Un jour qu'il préludait sur la lyre aux accents mélodieux de la musique et de la poésie, le futur roi de la lumière voit venir une théorie [2] de blanches nymphes. Il les aborde simplement et d'un salut respectueux décline ses nom et qualités. Joyeuses, elles s'écrient : « Nous aussi nous sommes filles de Jupiter ; et Mnémosyne, la déesse Mémoire, nous a donné le jour. » La conversation s'engage vive, animée et familière. Apollon découvre en chacune des aptitudes et des goûts particuliers qui les personnifient. Il propose de se mettre à leur tête comme frère aîné. Accepté d'enthousiasme ; on ne se quittera plus et l'on formera une compagnie indissoluble consacrée à célébrer les arts, honneur et gloire du monde. Elles sont au nombre de neuf, sœurs tendrement unies. Apollon, évoquant le nom de leur mère, les appelle *Muses*, ce qui signifie : « souvenance [3] ». Puis il leur distribue leurs rôles respectifs.

Calliope inspirera la grande éloquence et la poésie héroïque ;

Melpomène guidera la tragédie ;

Thalie prendra la comédie en partage ;

Polymnie présidera à la rhétorique et à l'art d'écrire ;

---

1. Ce mont domine le site de Delphes, consacré à Apollon. Son nom a été donné au quartier de Paris — Montparnasse — célèbre pour ses ateliers d'artistes.

2. Un long défilé.

3. Du nom propre grec des *Muses* vient le nom commun « musique », qui signifie à l'origine « qui concerne les Muses ».

Clio tiendra la plume de l'histoire ;
Uranie enseignera l'astronomie ;
Erato favorisera la poésie lyrique et tendre ;
Euterpe aura la musique et
Terpsichore la danse.

On ne pouvait faire une répartition plus judicieuse et plus appropriée. Toutes furent dans l'enchantement. La compagnie ainsi constituée et organisée, Apollon a l'idée de la conduire devant l'aréopage des divinités. Acclamation générale. Mais comment gagner l'Olympe ? Les Muses n'ont aucun moyen de transport à leur service. Amère déception. À ce moment passe le cheval à la croupe opulente, aux larges ailes éployées, le célèbre Pégase. D'un geste, Apollon l'arrête, le proclame la monture attitrée des futurs hôtes du Parnasse et saute hardiment sur son dos ; les neuf sœurs en font autant ; en un clin d'œil on arrive au but du voyage. Les habitants de l'Olympe, agréablement étonnés de recevoir à l'improviste une aussi brillante jeunesse, acceptent avec empressement d'assister à ses premiers essais. Dieux et déesses s'installent sur leurs confortables sièges disposés en cercle et goûtent à l'avance le plaisir de voir et d'entendre la jeune troupe du jeune Apollon. Celui-ci, par les sons délicats de sa lyre harmonieuse, conquiert déjà l'indulgente sympathie ; puis c'est au tour des Muses de se mettre en valeur.

La divine assemblée ne put contenir sa joie et sa surprise. Les bravos éclatent de toutes les mains. On ne sait à qui donner la préférence. L'éloge est unanime.

Avant de se séparer dans les compliments et les accolades, on décide qu'à l'avenir aucune fête, aucune réjouissance ne sera célébrée en Olympie sans le concours d'Apollon et des Muses.

4. MARSYAS

La grande dispensatrice des nouvelles, la Renommée, dont la voix pénétrante se fait entendre dans les contrées les plus lointaines et les plus désertes, avait depuis longtemps divulgué la réputation de virtuose incomparable et de musicien hors ligne que méritait le dieu de l'Harmonie.

Phœbus-Apollon, fier de son talent, ne dédaignait pas de le produire et maintes fois il descendit sur la terre, retrouvant incognito les simples mortels au milieu desquels il avait passé d'agréables moments au temps de son exil.

Le bruit des flûtes et des chants l'attirait de préférence ; il passait de longues heures à en goûter le charme.

Or, un Satyre, sorte de divinité sylvestre au front cornu, à la barbiche de chèvre et aux pieds de bouc, Marsyas, avait voué un culte particulier à la flûte. Il l'avait étudiée passionnément sur un instrument autrefois abandonné par la dédaigneuse Minerve. Il y avait apporté des perfectionnements et obtenait dans l'exécution des résultats surprenants. Il traduisait les sentiments tendres et langoureux sur un mode doux et plaintif, ou bien, au moyen de rythmes concordants, il invitait à la danse allègre et joyeuse. Sa maîtrise passait pour incontestable, et Marsyas, oubliant l'humble modestie, s'accordait à lui-même une supériorité que nul ne pouvait atteindre.

Ayant composé des hymnes en l'honneur des divinités auxquelles il avait l'outrecuidance de se comparer, il les exécutait en tous lieux et en tous pays. Au cours de ses nombreux déplacements, il vint à rencontrer Apollon. C'était en Phrygie. Marsyas ignorait Apollon. Dans son incomparable orgueil, grisé par ses succès, il alla jusqu'à dire ne craindre aucun rival. Il se mesurerait au besoin avec le dieu si vanté de l'Harmonie. Apollon propose alors de concourir avec lui. Marsyas le regarde avec dédain ; il consent néanmoins. Mais Apollon y met une condition : le vaincu sera soumis à la discrétion du vainqueur. Marsyas souscrit à toutes les exigences, sans prêter la moindre attention. On organise un jury composé des Muses, de Pan, le roi de la flûte, et de nombreux amateurs distingués ; Midas, le souverain du pays, présidera.

L'épreuve commence. Marsyas s'avance prétentieux et hautain. Il joue avec élégance et tient sous le charme l'auditoire enthousiaste et subjugué. Les applaudissements résonnent avec transport ; déjà se préparent les couronnes qui doivent ratifier sa victoire, quand Apollon, auquel on ne songeait déjà plus, réclame son tour. On l'accepte par courtoisie, sans y attacher autrement d'importance. Les conversations continuent, roulant toutes sur l'indéniable et indiscutable talent déployé par le satyre Marsyas. Peu à peu, elles se font moins bruyantes, s'éteignent insensiblement et enfin un silence impressionnant s'établit. C'est que la lyre d'Apollon s'était révélée dans l'ampleur et la majesté divines. C'est que jamais oreille humaine n'avait perçu de pareilles sensations musicales. Chacun retient son souffle, regarde stupéfait cet inconnu qui non seulement s'est mesuré à Marsyas mais le dépasse au-delà de tout ce qu'il était permis d'imaginer. Les suffrages ne sont plus douteux, ils s'adressent à l'unanimité, dans un ensemble touchant, au nouveau venu, qui certainement ne peut être que Phœbus-Apollon en personne.

Marsyas, forcé lui-même de reconnaître son infériorité, s'incline, la rage au cœur, et dans son fol

orgueil va jusqu'à proférer des injures à l'adresse de
de son émule victorieux.

Celui-ci, justement courroucé, ne peut contenir sa
colère ; il rappelle les conditions de la lutte. Marsyas
est vaincu ; Marsyas lui appartient. Marsyas, solidement attaché à un arbre, est tout vif écorché, et meurt
en vociférant de douloureuses plaintes d'angoisse,
d'impuissance et d'horreur.

5. MIDAS

Étant donné sa qualité royale, *Midas* avait des
relations parmi les personnages haut placés. Faisaient
partie de son intimité : Pan, le dieu des bergers et
des bois ; le ventripotent Silène, père nourricier de
Bacchus, et le dieu des vendanges, Bacchus lui-même.

Ces quatre amis inséparables, réunis par un goût
commun de gourmandise, et partisans convaincus de
la dive bouteille, festoyaient dans le somptueux palais
du roi Midas. Les gais propos, les rires bruyants, se
mêlaient au choc des coupes fréquemment remplies
de vins variés et capiteux.

Midas était flatté de traiter semblable compagnie
et ne ménageait rien pour recevoir dignement ses
invités.

Pour le remercier de sa généreuse et cordiale réception, Bacchus lui dit, à l'issue d'un festin : « Que
pourrais-je faire, mon cher Midas, pour t'être agréable en retour de tes bons offices et te témoigner nos
remerciements autrement qu'en fugitives paroles ? »

Vous ai-je révélé que, puissant et riche par ses ancê-
tres, Midas n'avait pas reçu de leur générosité
d'appréciables dons du côté de l'intelligence et de
l'esprit ? Sa conversation manquait d'imprévu : il
parlait à tort et à travers ; la réflexion ne venait point

à l'aide d'un jugement borné. Aussi, quand au milieu des fumées d'une douce ivresse arriva la proposition de Bacchus : « Ô divin fils de Jupiter, s'écria-t-il en titubant, puisque tu veux mon bonheur, change en or tout objet touché de ma main débile. »

Ce désir, à peine exprimé, Bacchus s'emploie à le réaliser.

Assis devant une table copieusement servie et chargée de mets exquis, Midas étend le bras ; subitement les poissons délicats, les viandes succulentes, les fruits onctueux se convertissent en or. L'inconscient s'aperçoit soudain de sa sottise et, mourant de faim et de soif, retourne auprès de Bacchus pour supplier le trop complaisant donateur de reprendre son dangereux présent. Bacchus l'exauce. Midas n'aura qu'à se plonger dans les eaux du Pactole et le fleuve roulera dans ses ondes les paillettes du précieux métal[1].

Midas méritait de recevoir une autre leçon pour le guérir de sa présomptueuse outrecuidance. Apollon se charge de la lui donner.

Le roi de Phrygie, persuadé qu'en possédant les richesses, on avait l'omniscience sans avoir jamais rien appris, tranchait du connaisseur, pontifiait, se posait en mélomane accompli, et distribuait éloges et récompenses aux moins qualifiés pour les mériter.

Son cas s'aggrava lorsqu'il présida le fameux concours de musique suivi de la mort tragique de Marsyas.

Bien loin d'observer l'impartialité imposée au rôle provisoire qu'il remplissait, Midas affichait au cours de l'épreuve ses préférences marquées pour le jeu du Satyre.

---

1. C'est là l'origine du nom commun « pactole » pour désigner une source de profit exceptionnel.

Apollon n'attendait qu'une occasion de lui faire regretter son insigne maladresse.

Cette occasion s'offrit d'elle-même à la suite de l'incident du Pactole.

Un matin que Midas procédait minutieusement à sa toilette, grâce à l'esclave spécialement chargé de ce soin, celui-ci crut entrevoir que l'oreille de son seigneur et maître présentait une apparence bizarre. Elle semblait plus grande et plus large que d'habitude, et garnie de poils d'une forte rudesse. L'esclave n'en dit mot le premier jour, craignant d'être le jouet d'une hallucination. Mais, de vingt-quatre heures en vingt-quatre heures, le phénomène ne fit que s'accentuer : les oreilles s'allongeaient mobiles, les poils durcissaient et passaient indiscrètement dans les interstices des fleurons dorés de la couronne royale. L'artiste capillaire avait beau déployer zèle et artifices pour dissimuler une surprenante éclosion ; n'y parvenant pas, il se résigne à en aviser le roi. Midas, forcé de se rendre à l'évidence, ordonna, sous peine de mort, à son esclave de garder le secret et de ne le dévoiler à âme qui vive. L'esclave reste muet plusieurs semaines ; mais, n'y pouvant plus tenir, il creuse en terre un trou profond auquel il confie tout bas ces mots : « Midas, le roi Midas a des oreilles d'âne », et vite il rebouche le trou, puis s'enfuit, la conscience tranquille. Il n'avait en effet parlé à personne, personne ne saurait donc jamais rien. Quand un jour, repassant par là, ses yeux aperçurent des brins d'herbe sortis du sol remué, et reproduisant les paroles qu'il croyait ensevelies comme en un tombeau. La brise multipliait ces maudites paroles ; bientôt toute la contrée les entend et l'on ne s'aborde plus qu'en répétant à haute et intelligible voix : « *Midas, le roi Midas a des oreilles d'âne !* »

XV

DIANE

OUS vous avons déjà conté la naissance de *Diane* en même temps que celle d'Apollon dans l'île de Délos[1]. Nous n'y reviendrons pas. La course mouvementée de sa mère Latone au-dessus des eaux ne l'encourageait pas aux voyages aériens, pour lesquels elle professait une irrésistible horreur. Les déplacements, les longues randonnées convenaient, il est vrai, à son ardente nature, mais à la condition de les accomplir sur le globe terrestre. Elle ne voulait pas être seule, par exemple, et désirait s'abandonner à ses fougueux ébats avec l'assistance, non pas d'un mari comme il serait légitime de le supposer, mais entourée de vigoureuses compagnes, capables de poursuivre le cerf agile et d'attaquer le sanglier des forêts.

1. Voir chapitre XIV, « Apollon-Phœbus ».

Quand elle fut en âge de satisfaire ses goûts d'indépendance, elle alla trouver son père, lui fit part de ses intentions et le pria d'en favoriser l'essor. Jupiter l'écoute : « D'abord, dit-elle, ne me parlez pas de mariage ; je n'en veux à aucun prix. J'entends conserver mon libre arbitre et circuler à ma fantaisie, à travers les forêts et les plaines, gravir les monts escarpés, franchir les rivières profondes. Seulement j'aimerais goûter ces plaisirs avec une soixantaine de jeunes chasseresses. Au retour de mes excursions cynégétiques [1], j'aurais besoin de trouver une vingtaine de nymphes pour recueillir mon arc, mes javelots, mes sandales et soigner mes bons chiens nombreux et fidèles. »

Jupin ne put s'empêcher de sourire au récit d'un programme peu conforme à l'existence d'une jeune fille. Il ne put résister non plus, ni contrecarrer une volonté si nettement accusée. Il accorda tout, chasseresses, nymphes, chiens et célibat. Diane prend rang parmi les divinités comme déesse, de la chasse d'abord, et, par suite, des rivières, des lacs, des sources, des marais, des forêts et des montagnes. Elle avait le loisir de s'en donner à cœur joie. Pour satisfaire jusqu'au bout son besoin d'activité, Diane sur la terre, deviendra *Hécate* dans les Enfers, et *Lune* ou *Phœbé* [2] dans le Ciel. Au royaume des morts, elle éloignera du Styx, pendant cent ans, les ombres de ceux qui auront été privés de sépulture ; et, dans le Ciel, tiendra haut et ferme l'astre éclairant des nuits.

Quand, par hasard, elle éprouvera le besoin d'un instant de repos, elle se retirera auprès de son frère

---

1. Consacrées à la chasse (l'adjectif a pour origine le nom grec *kunos* qui signifie « le chien »).

2. Comme son frère Apollon a reçu le nom de *Phœbus*, « le Brillant », Diane porte aussi celui de *Phœbé*, « la Brillante ».

Apollon, heureux et fier de voir sa tendre sœur prendre part aux chœurs des Grâces et des Muses assemblées.

1. ACTÉON

À peine Phœbus-Apollon tient-il les rênes de ses fringants coursiers, impatients d'aller distribuer la lumière du jour, que déjà Diane traverse monts et vallées. Ses compagnes rivalisent avec elle et d'adresse et d'ardeur. Toutefois, vers le milieu de la journée, quand la chaleur invite à rechercher l'ombre et la fraîcheur, la chasse est momentanément interrompue.

À l'orée d'un bois, la nature a formé dans le creux d'un rocher une grotte couverte de feuillages et de fleurs ; une source murmure dans le voisinage ; l'onde serpente limpide et transparente près d'un lit d'herbe et de mousse. L'endroit est propice. Les nymphes et leur bien-aimée déesse entrent s'y délasser, quittent leurs armes et leurs minces habits, abandonnent leurs flexibles sandales et procurent à leurs corps souples et nerveux la douceur d'une eau rafraîchissante et pure.

Égaré dans ces parages qu'il fréquentait pour la première fois, un chasseur conduit par le hasard, ou, plus exactement, par son triste destin, arrive tout à coup dans ce lieu retiré, caché à tous les yeux. Les chastes et pudiques baigneuses l'aperçoivent et se sauvent confuses et rougissantes. Diane, scandalisée, n'écoute que son indignation. Elle se dispose à sévir contre l'insolent ; mais, plus d'arc, plus de javelots ; l'onde seule dans laquelle plonge son corps est à sa portée ; elle en asperge la figure d'*Actéon*, fils d'Aristée, petit-fils de Cadmus, et l'élève du centaure Chiron. Elle y ajoute reproches et malédictions.

L'imprévoyant chasseur ne demande qu'à s'excuser, tout confus de sa méprise involontaire. Il n'en a pas le temps, et quelle est sa stupeur quand sur sa tête poussent d'élégantes cornes ! Son cou s'allonge ; ses oreilles se dressent fines et pointues ; plus de mains, plus de bras ; des jambes grêles et délicates les remplacent ; son corps est transformé en celui d'un cerf à la fuite rapide. Actéon s'échappe en effet, poursuivi par sa propre meute qui ne le connaît plus. Bientôt rattrapé, mordu, il voudrait appeler, crier : « Mais c'est moi ! Actéon, votre maître ! » Il ne peut. La fatigue, la douleur l'accablent ; il tombe, et ses membres déchirés sont dévorés par ses propres chiens que sa main avait nourris !

2. ENDYMION

Le soleil achève sa course quotidienne, les chevaux de Phœbus disparaissent à l'horizon dans les eaux de Téthys, reine des Océanides. La paix de la nuit descend sur la terre ; à la surface des prairies scintillent les vers luisants. L'oiseau replie ses ailes en son nid moelleux ; la bête sauvage a regagné son antre. On perçoit de vagues sons : le souffle du vent dans les arbres, le cri-cri du grillon, l'intermittent murmure du ruisseau jaseur sur son fond rocailleux. Le mutisme du silence a conquis l'univers. Tout repose, tout dort. Seule l'infatigable Diane se complaît à profiter du calme et de la solitude. Elle aime à laisser errer à l'aventure ses pas nonchalants ; elle s'amuse à voir se jouer au travers des branches les rayons incertains de la lune.

Au cours d'une de ces promenades, sur le mont Latmos, en Carie, un spectacle inopiné l'arrête. Dans un bocage odorant, faiblement éclairé, repose un

DIANE

Diane et Actéon.

Entrez dans la légende

— À quel détail précis reconnaissez-vous Diane ?
— Qui sont les compagnes de la déesse ?
— Quel moment de la légende est ici illustré ?

adolescent, simple mortel, simple berger. Qu'il est beau ! qu'il est fort ! Son corps blanc s'argente des pâles rayons de la douce Phœbé ; les roses de l'enfance fleurissent encore sur ses joues satinées ; le sourire du bonheur confiant voltige sur ses lèvres. La chaste déesse ne peut contenir son admiration de découvrir en forme humaine une beauté divine. Elle reste en extase, mais, craignant d'être surprise par le réveil du séduisant dormeur, elle se retire à pas lents et discrets, l'esprit hanté par l'inoubliable vision unissant à la grâce délicate des vierges la souple vigueur des plus valeureux éphèbes [1].

Le plaisir de la chasse, qui la reprend le lendemain, ne triomphe pas du souvenir de la nuit. Elle supporte avec impatience la longueur de la journée ; elle brûle de retourner au mystérieux bocage. Qu'y verra-t-elle ? Plus personne assurément. Son désir l'illusionne. Qu'importe ! Elle reprend en tremblant le chemin de la veille ; elle approche, timide et palpitante. Quelle surprise ! Quelle joie ! Il est encore là, dans la même position, encore plus noble, encore plus beau ! Quel est donc ce mystère ? Elle s'informe, elle interroge, elle apprend que le pâtre Endymion, ayant subi le courroux de la sévère Junon, fut condamné à dormir trente années de suite sans se réveiller. La nouvelle cause à Diane peine et plaisir. Peine, pour ne pas apercevoir des yeux qui doivent être séduisants ; plaisir, parce qu'elle aura la satisfaction de considérer à loisir ce chef-d'œuvre de la création.

La pudique déesse n'y manque pas ; chaque nuit, elle accomplit avec empressement et ferveur cette captivante visite. Captivante en effet, car elle n'a plus seulement pour but de contempler une image. Une

---

1. Le mot grec *éphèbe* désigne le jeune garçon arrivé à l'âge de la puberté.

sourde allégresse envahit tout son être. Son cœur, autrefois insensible, éprouve une émotion insoupçonnée, et, quand Endymion, le temps révolu, sort des voiles du sommeil, la déesse, définitivement conquise, oublie ses serments, déclare son amour. Ne pouvant élever un simple mortel jusqu'à la divinité, elle consent à descendre jusqu'à lui, et, s'il faut s'en rapporter à Pausanias, lui fait présent de cinquante filles, sans compter un fils, Étolus.

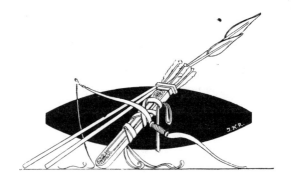

XVI

MERCURE

ERCURE était fils de Jupiter et de Maïa, l'une des Pléiades, filles d'Atlas et de Pléione. Quand ses yeux s'ouvrirent pour la première fois, ils contemplèrent les hautes futaies du mont Cyllène en Arcadie. C'était un enfant bien proportionné, ni trop gros, ni trop fluet, on pressentait néanmoins le remuant et l'espiègle. Sa nature ne pouvait le confiner dans la vulgaire Arcadie ; elle réclamait une autre ambiance, une société choisie, élégante et spirituelle. Ne l'aurait-il pas dans l'Olympe où sa naissance lui assignait une place légitime ? Tel fut son sentiment qui ne tarda pas à le mener au palais du puissant auteur de ses jours. Là, Mercure se trouve dans son élément, et, aussitôt acclimaté, donne libre essor à ses malicieux instincts.

Toujours plein d'entrain, il aimait se jouer du prochain, quels qu'en fussent l'âge et la dignité. Cupidon, le petit dieu de l'Amour, subit le premier son astuce. Ils s'amusaient à lutter ensemble quand, tout d'un coup, Mercure le renverse à l'improviste et l'allège de son carquois. Le trident de Neptune lui plaît, il le dérobe. De même, le glaive de Mars brillant à ses yeux, il le soustrait. Vulcain, bien entendu, n'est pas épargné et s'aperçoit que sa plus belle paire de tenailles a disparu. Vénus elle-même eut à défendre sa ceinture, et Jupiter ne retrouve plus son sceptre d'or. Ces plaisanteries, ces larcins, — appelons les choses par leur nom, — délectaient beaucoup l'entourage, pas toujours celui ou celle qui en était l'objet. Le roi des hommes et des dieux s'en réjouissait follement. Mercure était son enfant gâté, et le cœur paternel était fier d'un rejeton qui joignait la ruse à l'habileté. Mercure, se rendant compte de son succès et de l'approbation tacite accordée à chacune de ses espiègleries, se crut autorisé à continuer son manège. Il n'a pas le tact de s'arrêter à temps et ne sait qu'inventer pour continuer et accentuer ses fantaisies. Ne va-t-il pas imaginer de confisquer la foudre ! Il ignore encore qu'il ne faut pas jouer avec le feu, et se brûle horriblement. À ses cris aigus, Jupiter se retourne, surprend le jeune voleur et, cette fois, se fâche. Mercure a dépassé les bornes permises ; il a besoin d'acquérir de l'expérience et d'apprendre le savoir-vivre. Les voyages ayant la faculté de former la jeunesse, Mercure ira faire un tour sur la terre.

Cette sanction, pour rigoureuse qu'elle soit, ne l'émeut nullement. Son caractère s'accommode de tout, son humeur joyeuse lui tiendra suffisamment compagnie. Un rien le distrait. Ainsi, errant dans les bois en gesticulant avec une badine d'olivier, il avise deux petits serpents qui n'étaient pas d'accord. Pour les séparer, il tend sa baguette : les deux reptiles s'y enroulent et se trouvent en haut tête à tête. Mercure les maintient dans cette position ; le *caducée* était formé. Une paire d'ailerons le surmontera pour établir le double symbole de la concorde et de la médecine.

Une autre fois, il longeait les rives d'un fleuve ; une énorme carapace de tortue frappe ses regards. Elle était vide ; il dispose à l'intérieur des nerfs de brebis bien tendus, les pince avec les doigts, en tire des sons harmonieux : c'est la *lyre*.

On voit que l'ingéniosité favorisait l'exilé de l'Olympe. Il ne perdait pas pour cela ses qualités natives, — si l'on peut les appeler qualités, — de ruse, de fraude et de supercherie.

Le but de sa descente sur terre était de lui faire apprécier la vie champêtre et de l'initier à la garde et à la conduite des troupeaux, bœufs, moutons, génisses et brebis. Ce genre d'occupation n'absorbait pas, loin de là, l'esprit alerte et toujours en éveil de notre apprenti laboureur. Le contact qu'il entretenait avec les bœufs lui fit apprécier leur performance et envisager leur valeur marchande. Un troupeau de ces bêtes à cornes le séduisit à ce point qu'il résolut de se l'approprier. Il surveilla les allées et venues des ruminants et découvrit leur retraite. À la faveur de l'obscurité complète d'une nuit noire, il pénétra dans la caverne qui les abritait, et, pour dérouter les recherches, les en fit sortir à reculons. On ne pouvait, par conséquent, suivre leurs traces, l'empreinte des onglons étant au rebours du chemin suivi. Ils furent ainsi conduits et cachés au fond d'un bois.

Malgré les précautions prises, le vieux berger Battus fut témoin de l'opération nocturne. Mercure pense acheter son silence en lui offrant une vache aux mamelles gonflées. Seulement, en faisant retour sur la connaissance de soi-même, il se méfiait des promesses contraires à l'intérêt. Pour s'assurer de la sincérité du vieux pâtre, il revient, sous l'apparence du roi Admète, lui offrir un bœuf et une vache s'il révèle la cachette des animaux dérobés. Battus hésite, puis se laisse circonvenir et découvre tout. Mercure, pour ce manquement de parole, le métamorphose en pierre. Il se procure ainsi la garantie de son silence.

Mais ces bêtes si désirables et si fort appréciées appartenaient à Apollon. Mercure n'avait pas entrevu cette complication. Vive dispute, invectives. Les deux frères en seraient presque venus aux mains, quand Mercure, conciliant par force, offrit à Apollon la lyre qu'il avait confectionnée. Le dieu de la Musique et des Arts oublia l'injure faite au berger du roi Admète. La réconciliation fut complète et les deux porteurs intérimaires de houlettes reprirent ensemble la direction de l'Olympe à la satisfaction générale.

Pendant les années passées sur terre, Mercure avait eu le temps de calmer son ardeur première.

Revenu docile et soumis, il gagna la confiance du souverain des dieux, et devint son messager fidèle.

Pour faciliter ses déplacements nombreux et pressés, il adapte de petites ailes à ses chevilles ainsi qu'à sa coiffure. Les services qu'il rend sont constants et infinis, si bien que toutes les divinités recourent à ses bons offices et n'ont qu'à s'en féliciter.

Jamais dieu ne fut plus occupé et plus cumulateur que Mercure. Vigilant, attentif, adroit, artiste, et — faut-il le dire ? — peu scrupuleux, il était à même de porter tous les messages et de remplir les fonctions les plus diverses avec un égal bonheur et la plus complète réussite.

Persuasif, il est le dieu de l'éloquence ; orateurs et plaideurs invoquent sa protection tutélaire.

Il inspire les navigateurs, les commerçants et, au besoin, les voleurs, en mémoire sans doute de ses aptitudes premières.

Les bergers, qu'il amusait de ses facéties et de ses bons tours, lui ont conservé la meilleure souvenance, et se placent, eux et leurs troupeaux, sous sa garde bienveillante.

Les joueurs ont confiance en lui, et les malades l'implorent avec ferveur. Mais sa clientèle la plus importante est, ne l'oublions pas, celle des dieux et des déesses dont il est le messager constant et officiel.

Eh bien ! pour répondre à son activité dévorante, le Ciel et la Terre ne suffisent pas ; il lui faut encore les Enfers ! Ailes au front et aux talons, caducée en main, il est le conducteur des âmes [1] et les remet avec un sourire au farouche Charon, qui s'en charge, au reçu de l'obole réglementaire.

___

1. Pour cette raison, Mercure est souvent qualifié de *Psychopompe*, qui signifie en grec « celui qui conduit les âmes ».

XVII

BACCHUS

 A naissance de Bacchus, comme celle de Minerve, est pour le moins étrange et fort extraordinaire. Mais que ne peuvent réaliser les fantaisies d'un dieu puissant, du plus puissant des dieux ? de Jupiter, comme vous l'avez déjà deviné. Si Minerve s'est échappée de son cerveau, brisé par le solide marteau de Vulcain, Bacchus sortira de sa cuisse, oui, de sa cuisse, vous avez bien lu.

Suivant les habitudes qu'il avait contractées depuis longtemps et dont il ne pouvait se défaire, au grand déplaisir de Junon, Jupiter, continuant ses visites terrestres, avait rencontré une jeune fille belle entre toutes. Dans un élan de sympathie irrésistible, il l'aborde, se dit un prince étranger, et propose le mariage à Sémélé, fille de Cadmus, roi de Thèbes. La vierge timide et pure ne dissimule point sa surprise extrême.

À la première émotion succède le charme qu'emporte avec soi l'orgueil de s'unir à un prince de haute allure. Mais Junon veillait et se vengera sur la rivale et sur sa descendance. Elle commence par se substituer à Béroé, la nourrice de la naïve enfant, et introduit dans le cœur de Sémélé le poison du doute : « Ce n'est pas un prince qui veut te séduire, ma fille aimée, lui dit-elle ; ce n'est qu'un vulgaire aventurier. Pour t'en assurer, exige, puisqu'il se dit prince, qu'il se révèle à toi dans le brillant appareil de sa prétendue puissance. Ne te laisse pas duper, ma chérie ; ta vieille nourrice qui t'a allaitée ne rêve que ton bonheur. » Ainsi parle Junon, poussée par la féroce jalousie. Ce perfide conseil ébranle la confiance de la pauvre innocente, qui transmet son désir humblement d'abord, puis avec insistance. Jupiter cherche à la dissuader sans y parvenir. Il se résout alors à paraître dans l'éclat et le rayonnement de sa gloire. Le palais de Sémélé tout à coup s'embrase au feu des éclairs. Les murs s'écroulent ; les flammes jaillissent. La fille de Cadmus tombe inanimée ; Jupiter, désespéré, essaie en vain de la rappeler à la vie ; il ne peut qu'arracher à ses bras inertes un petit être qu'il sauve du danger en l'enfermant dans sa propre cuisse, asile sûr et impénétrable.

Au bout d'un certain laps de temps, lorsqu'on jugea l'enfant remis de sa terreur et suffisamment fort pour assumer le fardeau de l'existence, on le sortit de sa prison fémorale avec le nom de *Bacchus*. Dès qu'il fut en âge, on se préoccupa de son instruction ; on la voulut variée et supérieure. Pour ce, les Muses, oui, les neuf Muses furent ses institutrices ; et Silène, son père nourricier, fut élevé au rang de précepteur en chef.

Silène était un vieux satyre qui ne payait pas de mine. Gros, lourd, bedonnant, la face rubiconde, on aurait de prime abord hésité à lui confier l'éducation d'un fils ; mais son extérieur peu engageant était amplement racheté par sa valeur intellectuelle et morale. De plus, bon et gai, il avait promptement conquis l'affection de son pseudo-nourrisson, au point que celui-ci ne voulut jamais s'en séparer.

Sous un tel maître et de telles maîtresses, le jeune élève, d'ailleurs exceptionnellement doué, fit des progrès rapides et surprenants. Il s'assimila tous les arts, toutes les sciences. Pas de poète, pas de savant, pas d'astronome, pas de musicien avec lequel il ne puisse se mesurer à son avantage.

Le désir de voir du pays et de faire profiter les hommes de ses connaissances multiples l'entraînèrent à de lointains voyages. Monté sur un ânon paisible et doux il se faisait accompagner par une nombreuse troupe de faunes et de dryades, tous jeunes, couronnés de fleurs et de verdure, chantant et dansant au bruit des flûtes, des cymbales et des tambours, brandissant des thyrses[1] : à leur tête, le brave Silène s'évertue à souffler dans la flûte de Pan.

Avec cet attirail original et fantaisiste, Bacchus entreprit la conquête des Indes ; il revint ensuite en Égypte. Partout sur son passage il donnait des conseils aux agriculteurs ; partout il enseignait la manière de planter la vigne et de convertir en vin succulent le délicieux jus de la treille. Il en vantait l'usage pour s'égayer et se fortifier, mais en interdisait formellement l'abus qui trouble la raison et change l'homme en une bête brute.

1. Le thyrse est l'attribut de Bacchus : c'est un bâton entouré de feuilles de lierre et de vigne, surmonté d'une pomme de pin.

LES BACCHANTES

Malheureusement ses sages conseils ne furent pas toujours suivis. Les *Bacchantes*, comme on appelait les nymphes faisant partie de son cortège, se livraient parfois à de folles excentricités, oubliant toute mesure, s'entraînant à des danses échevelées et poussant de véritables hurlements.

Ces excès se produisirent dans la suite surtout à l'époque des fêtes célébrées à Athènes et à Rome en l'honneur de Bacchus.

On assistait alors à de réelles orgies qui prirent le nom de *Bacchanales*. La plus courue de ces fêtes avait lieu au mois de février et semble, par tradition, être devenue, — très atténuée, — notre Carnaval des Jours Gras.

Quoique dieu du Vin, Bacchus était loin d'approuver ces exagérations ; il en arrivait presque à regretter d'avoir donné au monde la vigne bienfaisante.

Venu dans l'île de Naxos, il rencontra Ariane, gémissant sur l'abandon et l'ingratitude de Thésée ; il la consola ; elle devint sa prêtresse et il finit par l'épouser [1].

Bacchus passe pour avoir créé la première école de musique, et l'on prétend que les représentations théâtrales prirent naissance en son honneur [2].

1. Voir chapitre XIX, 3, « Ariane », p. 148.
2. Voir sur la couverture la gravure représentant le triomphe de Bacchus.

XVIII

HERCULE

MPHITRYON, fils d'Alcée et petits-fils de Persée, régnait sur la ville de Thèbes. Il venait d'épouser la belle Alcmène, fille d'Electrion, roi de Mycènes, quand la guerre fut déclarée à ses voisins les Thélébéens. Sa renommée d'habile stratège et la confiance de ses concitoyens le mirent à la tête des armées. Il partit plein d'ardeur et de courage, abandonnant sa chaste épouse après de touchants adieux. Ayant eu vent de la chose, Jupiter jugea bon d'aller courtiser Alcmène.

> Bien souvent pour la terre, il néglige les cieux,
> Et vous n'ignorez pas que ce maître des dieux
> Aime à s'humaniser pour des beautés mortelles.

Il n'hésite donc pas

À descendre du haut de sa gloire suprême,
Affirmant qu'il ne peut être que glorieux
De se voir le rival du souverain des dieux.

Junon, toujours aux aguets, se doutait bien que l'aventure finirait comme les précédentes. Elle apprend en effet qu'en la maison d'Amphitryon,

... doit naître un fils qui sous le nom d'Hercule
Remplira de ses faits tout le vaste univers [1].

Ne pouvant conjurer le sort implacable, l'épouse de Jupiter obtint, comme ultime consolation, que l'enfant à naître serait placé sous l'autorité absolue d'un cousin plus âgé que lui, Eurysthée [2], prince cruel, à la volonté duquel il serait inexorablement soumis. Contraint de subir ses ordres, quelque impitoyables qu'ils puissent être, il paierait chèrement la gloire et la célébrité.

Aux premiers vagissements du nouveau-né, impatiente d'assouvir sa colère, Junon envoie dans son berceau deux serpents, qui, pense-t-elle, rendront inutile l'intervention d'Eurysthée. Mais les destins se réaliseront malgré elle. Hercule annonce déjà sa future réputation de force, et, chose incroyable ! il étrangle les reptiles de ses mains nerveuses.

Eurysthée doit se charger à présent de jouer le rôle qui lui était imparti, en imposant au fils de Jupiter et d'Alcmène une série d'épreuves appelées : *les Douze Travaux d'Hercule.*

---

1. Molière, *Amphitryon* (1668).
2. Eurysthée, comme Hercule, est un descendant de Persée (voir chapitre XXIII).

A. LES TRAVAUX D'HERCULE

1. *Le Lion de Némée*

Une vaste forêt de l'Argolide, dite forêt de *Némée*, servait de retraite à un énorme lion qui dévorait les troupeaux d'alentour. Eurysthée enjoignit à Hercule de débarrasser la contrée de ce monstre indésirable.

Hercule, avec son arc et son carquois, se met à la recherche de l'animal. Bientôt il lui décoche trait sur trait sans pouvoir même le blesser, tant sa peau était dure et impénétrable. Les flèches s'émoussaient et retombaient brisées. Hercule s'arme alors d'une énorme massue, pousse au monstre et lui assène un coup terrible sur la tête. Pas de résultat. La massue se brise en deux. Il n'y a plus qu'à prendre corps à corps la bête féroce qui bondit et pousse des rugissements furieux. La lutte s'engage ; au bout de quelques instants, le lion de Némée, les yeux sortant des orbites et la langue pendante, gisait inanimé. De ses ongles, Hercule le dépèce et se revêt de sa fauve toison pour s'en protéger comme d'un véritable bouclier.

2. *L'Hydre de Lerne*

Ce premier exploit n'était pas pour satisfaire Eurysthée, qui se prit à redouter la présence d'un cousin aussi vigoureux. Il lui enjoignit de fuir sa cour et de n'y plus reparaître avant de s'être acquitté de travaux périlleux dont il lui donna la liste.

En tête figurait un serpent monstrueux qui vivait au fond des marais de *Lerne*, dans le territoire d'Argos. L'hydre, dotée de plusieurs têtes, présentait cette particularité qu'il fallait les couper toutes à la fois, autrement elles reparaissaient plus nombreuses.

Hercule en fit l'expérience. Voyant que c'était toujours à recommencer, il recourt à l'aide de son compagnon Iolas, fils d'Iphiclus. Celui-ci brûlait les têtes de l'hydre au fur et à mesure que le héros les abattait : elles ne pouvaient plus se reproduire. Le sang qui en avait coulé contenait un subtil venin : Hercule y trempa ses flèches dont les pointes firent des blessures incurables ; ce poison devint fatal à lui-même, comme nous le verrons par la suite[1].

3. *Le Sanglier d'Érymanthe*

Nous passons maintenant dans l'Arcadie, où nous rencontrons sur la montagne d'*Érymanthe* un sanglier colossal, la terreur des troupeaux, la terreur des bergers. Ce pachyderme n'était pas facile à joindre : il se faufilait dans les fourrés, dans les broussailles. Hercule résolut de le prendre en chasse et de le vaincre à la course. Le poursuivant sans relâche, il finit par l'exténuer et le rendre fourbu. À bout de souffle, le sanglier tombe dans un ravin plein de neige. Il est pris et transporté dans le palais d'Eurysthée qui faillit, à sa vue, mourir de frayeur.

4. *La Biche aux pieds d'airain*

Le voyant si bon coureur, Eurysthée pensa réclamer à Hercule de lui apporter vivante une biche déambulant sur les pentes et dans les vallées du mont Ménale, en Arcadie. Cette biche n'était pas comme les autres biches, à plusieurs égards ; d'abord elle avait des cornes, parure généralement réservée aux

---

1. Voir, ci-dessous, « La tunique de Nessus », p. 141, et « La mort d'Hercule », p. 142.

cerfs ; de plus, ces cornes étaient en or. En outre, elle possédait des pieds d'airain. Renommée pour la vitesse de sa course, personne n'avait jamais pu l'atteindre. Hercule, la sachant consacrée à Diane, ne voulut pas la tuer ; il entreprit sa poursuite. Il y mit le temps, une année entière ; mais il y arriva, arracha les cornes d'or, chargea la bête sur son dos et la déposa aux pieds d'Eurysthée.

5. *Les Oiseaux de Stymphale*

C'était dans le Péloponnèse un lac d'une puanteur horrible qu'infectaient des oiseaux d'une taille démesurée. Non contents de vicier l'air de leurs immondes détritus et de développer les germes pestilentiels, ces affreux volatiles, armés d'un bec, d'ailes et de griffes à pointes d'airain, fonçaient sur les hommes et sur les animaux, les tuaient, en dévoraient la chair, laissant à l'aventure les restes de leur affreux festin.

Il était indispensable de conjurer un semblable fléau. Ce sera l'affaire d'Hercule. Avec de fortes cymbales, don de la déesse Minerve, il fit un tel vacarme qu'il parvint à effrayer les gros oiseaux. Ceux-ci s'envolent épouvantés, s'égaillent ; ils sont à la merci des flèches d'Hercule qui les extermine tous jusqu'au dernier.

Le lac de Stymphale est assaini ; les troupeaux regagnent les prairies sous la houlette des bergers, au son du champêtre chalumeau.

6. *Le Taureau de Crète*

Le roi de Crète, Minos, désireux de se concilier les bonnes grâces de Neptune, avait formulé un vœu. Il lui offrirait en sacrifice ce que le dieu des Mers ferait surgir des ondes. Un taureau magnifique en

126

sortit, mais si beau, si beau, qu'on n'avait jamais vu son pareil. Minos le garda pour lui et substitua sur l'autel de la divinité un ruminant rachitique et minable. Neptune jugea l'action de mauvais goût et n'admit pas l'imposture. Il communique au splendide taureau des élans furieux qui répandent la terreur dans la Crète entière. Eurysthée commande alors à Hercule de dompter l'animal. Le fils d'Alcmène passe la mer, aborde en Crète, attaque le taureau par les cornes, le contraint à s'agenouiller, l'entrave, le prend sur ses épaules, et, retraversant les eaux, le remet entre les mains de son cousin, de son maître.

7. *Les Cavales de Diomède*

Un roi de Thrace, Diomède, fils de Mars et de Cyrène, possédait des cavales indomptables aux narines projetant des flammes. Pour les nourrir, il leur offrait en pâture les étrangers échoués sur le rivage.

Eurysthée chargea notre héros de s'emparer de ces bêtes sauvages et de les lui amener à Mycènes.

Toujours prêt à observer jusqu'au bout la tâche qui lui était imposée, Hercule réunit quelques amis, met à la voile et débarque sur les côtes de Thrace.

Aussitôt découvertes les écuries, il tue palefreniers et valets, s'empare de Diomède, dépose son corps dans les mangeoires d'airain où ses cavales le dévorent avec avidité. Les féroces bêtes, solidement attachées, sont embarquées sur le navire qui, poussé par un vent favorable, les amène dans le royaume d'Argos, conformément à l'ordre reçu.

8. *La Ceinture d'Hippolyte, reine des Amazones*

Un désir de femme va fournir à Hercule une nouvelle occasion de se distinguer.

Admète, la fille d'Eurysthée, autrement dit, la cousine d'Hercule, avait ouï dire que la reine des Amazones portait une ceinture unique par son élégance et sa richesse. Elle demande à son père de la lui obtenir. Naturellement, Eurysthée confie ce soin à son jeune cousin.

L'entreprise était d'importance.

Les Amazones, femmes guerrières de la Cappadoce, sur les confins du Pont-Euxin [1], formaient une peuplade sauvage et redoutable, vivant de rapines et du produit de leur chasse. Les hommes étaient exclus de leur société, sauf une fois l'an. Elles faisaient mourir ou estropiaient leurs enfants mâles. Réservant aux filles la plus grande sollicitude, elles les dressaient aux exercices du corps, au maniement du cheval et au lancement du javelot. Excellentes cavalières, vêtues de peaux de bêtes agrafées sur l'épaule gauche pour laisser la droite libre et faciliter l'usage de l'arc et de la hache, elles ne craignaient pas de se ruer chez leurs voisins qu'elles dépouillaient de leurs troupeaux et de leurs moissons.

La reine Hippolyte les commandait. On la reconnaissait aisément à son corselet formé de petites écailles de fer, attaché avec une ceinture, la ceinture convoitée.

Hercule et ses compagnons franchissent l'Hellespont, la Propontide et le Bosphore de Thrace, débarquent sur le rivage du Pont-Euxin, et se rendent au palais d'Hippolyte avec de nombreux présents. En échange, Hercule sollicite le don de la ceinture.

La reine des Amazones lui fait bon accueil, lui sait gré de sa venue et, sur le point de lui remettre la

---

1. Notre mer Noire actuelle.

HERCULE

Hercule et Hippolyte.

Entrez dans la légende

— Retrouvez les attributs d'Hercule.
— Qui est Hippolyte ? Décrivez son costume.
— Quel objet Hercule tient-il dans sa main droite ?

LE SAVIEZ-VOUS ?

Devenu nom commun, « hercule » désigne un homme d'une force exceptionnelle, et plus particulièrement un athlète de foire.
Connaissez-vous le fameux Hercule Poirot ? Il ne tire pas sa force de ses muscles mais de son intelligence...

ceinture, en est violemment dissuadée par ses farouches cavalières, criant à la trahison et à la lâcheté.

Les arcs se tendent, les flèches sortent des carquois, les haches frémissent. C'est la guerre.

Hercule et sa troupe, d'abord en état de défense, passent à l'attaque, dispersent les Amazones, les poursuivent, les harcèlent, en tuent le plus grand nombre et capturent leur reine. La ceinture d'Hippolyte lui est ravie. Hercule la rapporte triomphant à sa cousine.

9. *Les Écuries d'Augias*

Roi d'Élide, Augias possédait une quantité considérable de bœufs, pas moins de trois mille. Les étables, vastes en proportion, n'avaient pas été nettoyées depuis une trentaine d'années ! Vous voyez d'ici l'amas de fumier et d'immondices. Les alentours étaient empestés. Il fallait remédier à cet état de choses dont toute la Grèce se plaignait depuis longtemps, sans pouvoir secouer l'inertie d'Augias. Voilà une occupation toute trouvée pour le fils d'Alcmène. Eurysthée lui enjoint de procéder sans retard à cet acte de salubrité. Augias y consent, il paraît même satisfait au point de promettre à Hercule le dixième de son troupeau, soit trois cents bœufs, si l'opération se fait dans la journée. Hercule pratique deux ou trois brèches dans les murs, détourne de son cours le fleuve Alphée, dirige les eaux à travers les étables, aussitôt purgées du fumier projeté dans la mer. Le fils d'Alcmène rejoint le roi d'Élide et réclame le prix convenu de son labeur. Augias fait la sourde oreille, tergiverse et propose l'arbitrage de son fils Philée. Hercule, conciliant, accepte ; il obtient gain de cause ; mais, considérant que si toute peine mérite salaire, tout manquement de parole mérite châtiment, il emporte les trois cents bœufs, pille la ville d'Élis, tue le roi et donne généreusement à Philée les États de son père. Il n'en laisse pas moins nettoyées et purifiées *les Écuries d'Augias*.

10. *Les Bœufs de Géryon*

Encore une histoire de bœufs. Nous sommes à une époque où l'agriculture et l'élevage priment toutes autres occupations.

Géryon, fils de Chrysaor et de Callirhoé, avait trois corps et passait pour le plus fort des hommes. Retiré aux confins du monde alors connu, du côté de l'Occident, il régnait sur l'Érythie, contrée d'Espagne, voisine de l'Océan. Sa seule société consistait en un troupeau de bœufs rouges, féroces, gardés par un molosse à deux têtes et un dragon à sept gueules. Il s'agissait, pour Hercule, de s'emparer des bœufs et de les joindre aux trophées qu'il avait déjà ramenés à Mycènes. C'était un grand voyage à entreprendre en pays lointain. Le fils d'Alcmène, n'oubliant ni sa fidèle massue, ni son arc, ni ses flèches, suit les côtes d'Afrique et parvient au détroit qui les sépare de l'Europe.

Avant de passer sur l'autre continent, deux monolithes, un sur chaque rive, sont élevés par ses soins, comme souvenir. De son nom ils s'appelleront *les Colonnes d'Hercule*. À peine en Érythie, les aboiements du chien à deux têtes signalent l'emplacement des bœufs cherchés. Deux coups de massue, un par tête, mettent le chien hors de cause. Plus craintif ou plus prudent, le dragon observe les distances. Sept flèches fendent l'espace et l'abattent. L'énorme Géryon accourt, alourdi par sa triple corpulence, et s'affaisse sous le poing de l'invincible Hercule.

Restent les bœufs. Le vainqueur leur réserve à

travers l'Espagne, la Gaule, l'Italie, l'Illyrie, l'Épire et l'Hellade, un long et beau voyage qui se termine à Mycènes.

11. *Les Pommes d'or des Hespérides*

Figurez-vous un jardin, non pas un jardin, l'expression est trop modeste, mais un parc, un parc immense s'étendant à perte de vue. Partout des arbres élevés et touffus aux rares essences développent les plus délicieuses odeurs ; partout des fleurs aux nuances vives et variées exhalent les plus suaves parfums ; partout des fruits colorés et savoureux. De-ci, de-là, des berceaux de verdure, des bocages mystérieux et enchanteurs : des fontaines limpides et pures égayent d'un doux murmure le silence et le charme des bois. Au milieu de ces incomparables richesses accumulées par la générosité d'une prodigue nature brillent des pommes dont l'éclat surpasse l'imagination. Pour ce motif on les appelle *Pommes d'or*. Où donc est-il ce parc superbe et charmant ? Sur quels arbres, en quels lieux sont suspendus ces fruits enchanteurs ? Nul ne sait. Mais Eurysthée en entendit parler ; cela lui suffit ; il les lui faut ces pommes d'or. Cela regarde Hercule de les découvrir, de les cueillir et de les lui apporter. Ne doit-il pas s'incliner devant sa volonté suprême ? Le fils d'Alcmène ne refuse pas d'obéir. C'est son rôle, c'est son devoir, il n'y faillira pas. N'a-t-il pas jusqu'ici fait preuve de courage et d'endurance ? Encore lui faudrait-il savoir où on l'envoie. Qu'importe ? sa patience et son ingéniosité seront au niveau de sa valeur. Il est prêt à parcourir le monde. Il demande aux uns et aux autres les renseignements qui peuvent le guider. De quel côté doit-il diriger ses pas ? Point de réponse. On a bien entendu parler de pommes, de fruits d'une apparence merveilleuse ; quant à dire quelle contrée les vit éclore, impossible. Après de longues et pénibles courses, Hercule s'arrête un moment auprès d'une source pour reprendre haleine et se rafraîchir. Une jeune nymphe était étendue non loin sur un banc de mousse agrémenté de pâquerettes. Il engage la conversation, sans cacher le but de ses recherches. La gracieuse enfant, touchée de l'embarras du beau voyageur, lui dit : « Je crois, seigneur, que le vieux dieu marin Nérée, fils de l'Océan et de Téthys, vous serait d'un précieux concours. Il sait beaucoup de choses et peut-être vous donnerait-il d'utiles indications. » Hercule n'attend pas davantage. Il n'est pas long à découvrir Nérée somnolent sur le rivage, à l'ombre d'un rocher abrupt. Il le met en demeure de lui enseigner la route qui conduit au jardin merveilleux. Nérée, mécontent d'être réveillé en sursaut, tente d'écarter l'importun et de l'effrayer en se transformant tantôt en serpent, tantôt en lion, voire en flammes brûlantes. Hercule en a vu bien d'autres ; il ne quitte le dieu marin qu'avec l'assurance de trouver les pommes d'or en Mauritanie, dans le royaume d'Atlas. Le fils d'Alcmène s'y rend précipitamment et trouve Atlas immobilisé sous le poids de la voûte céleste qu'il fut condamné à supporter sur sa tête et ses larges épaules.

« En effet, lui dit Atlas, non seulement je connais le jardin, mais il appartient à mes filles, les Hespérides. Rien de plus simple pour moi que d'y entrer et rapporter les fruits. Veuillez me remplacer pendant mon absence. Cela me reposera ; j'en ai grand besoin ; et vous allez être comblé à mon retour très prochain. »

La voûte céleste change sinon de place, du moins d'épaules. Atlas revient ; il a les pommes d'or et veut les porter lui-même à leur destinataire. Cela ne fait pas l'affaire d'Hercule. À trompeur, trompeur et demi. Le fils d'Alcmène simule une grande fatigue et supplie Atlas de le relayer. Le père des Hespérides, colosse formidable, mais peu subtil, se laisse prendre au subterfuge et recharge docilement son lourd fardeau. Hercule, allégé de la voûte céleste, s'éloigne avec son butin, regagne en hâte le palais de Mycènes et remet à son cousin *les Pommes d'or du jardin des Hespérides*.

12. *Le Chien Cerbère*

Nous arrivons enfin au douzième et dernier des travaux indirectement imposés par la malignité de la cruelle et vindicative Junon.

Eurysthée s'était évertué, jusqu'à présent sans succès, à chercher les plus dangereuses épreuves. Une seule chance lui restait de faire périr Hercule : le mettre aux prises avec Cerbère, l'horrible chien qui garde la porte des Enfers, et qui, grâce à ses trois gueules, finirait bien par le dévorer. Le fils d'Alcmène reçoit donc en dernier ressort l'ordre formel de capturer le chien Cerbère.

Pour accéder au domaine des morts, l'autorisation de Pluton était nécessaire. Mercure, le messager des dieux, la fit obtenir à condition qu'Hercule se présenterait sans armes d'aucune sorte. Le cousin d'Eurysthée, contraint de subir cette condition aggravante, se couvre simplement de la peau du lion de Némée, et, sans massue, sans javelot, aborde le monstre aux trois têtes. Les trois gueules béantes découvrant des crocs énormes et pointus, les aboiements furieux se répercutant sous les voûtes sombres, rien ne trouble le sang-froid, rien ne limite l'ardeur d'Hercule. Le héros avance d'un pas ferme, attaque l'animal, subit de cruelles morsures, mais, saisissant l'unique cou de la bête, le serre jusqu'à l'étouffement.

Il tient à merci Cerbère qui, tirant ses trois langues à la fois et ne pouvant plus respirer, se voit ligoté puis conduit au roi de Mycènes. L'aspect de cet atroce animal terrifie Eurysthée, qui refuse de le recevoir et le renvoie, sous bonne escorte, remplir ses lugubres fonctions de gardien des Enfers.

B. OMPHALE

Voilà notre héros affranchi des multiples obligations requises par une divinité vengeresse de son honneur conjugal outragé.

Victime d'une trop célèbre origine, Hercule recouvre enfin sa pleine liberté. Il en profite pour exterminer les brigands, et prêter la valeur de son bras aux peuples injustement attaqués. Il accomplit encore une série d'autres actions mémorables dont plusieurs figurent au cours de nos récits.

Ses nouvelles aventures l'amènent en Asie Mineure, au somptueux palais d'Omphale, reine de Lydie. La beauté de l'opulente souveraine, son affable accueil mêlé d'estime pour les hauts faits de son visiteur, excitent dans l'âme d'Hercule une vive sympathie, proche d'une véritable affection qui ne tarde pas à se convertir en violent amour. Les sentiments d'Omphale se mettent promptement à l'unisson. Hercule obtient sans peine les faveurs et la main de la fastueuse reine de Lydie.

Le vainqueur de tant de monstres, le triomphateur de tant d'œuvres périlleuses, le contempteur [1] de tant d'obstacles et de dangers se voit trop faible pour résister aux attaques d'un petit enfant lançant de

---

1. Hercule traite le danger avec mépris.

Hercule et Omphale.

Entrez dans la légende

— Comment est habillé Hercule ?
— À quelle activité se livre-t-il ?
— Commentez la place des personnages.

menues flèches plus acérées et plus meurtrières que toutes les autres[1]. Hercule durement atteint s'agenouille devant la séduisante Omphale. Sa naissante tendresse lui fait oublier tout amour-propre ; il s'abandonne aux trompeuses délices de la mollesse et de l'oisiveté.

Le héros sublime va, pour complaire à sa trop séduisante épouse, jusqu'à revêtir des vêtements féminins, jusqu'à parer son cou musclé de colliers et de perles rares, jusqu'à encercler de bracelets d'or ses bras et ses poignets vigoureux, jusqu'à charger ses doigts nerveux de bagues et de diamants aux feux étincelants. Il va jusqu'à subir l'ascendant d'une femme couverte de la peau du lion de Némée et tenant la massue d'Hercule ! Il va jusqu'à se mettre aux genoux de cette femme, et, vêtu lui-même d'une robe de pourpre, il va jusqu'à filer de la laine à ses pieds !

Par bonheur, son cœur vaillant se réveille ; il a honte d'un moment d'aberration et de folie ; il s'humilie encore auprès d'Omphale, mais cette fois, pour se relever plus noble et plus fier et reprendre son ancienne et glorieuse indépendance. La reine de Lydie, flattée d'avoir pu retenir auprès d'elle le héros d'innombrables prouesses, le laisse s'éloigner en lui donnant ainsi une dernière et touchante preuve de sympathie, d'affection et d'amour.

C. DÉJANIRE ET ACHÉLOÜS

Après son départ de Lydie, Hercule avait regagné la Grèce et s'était fixé dans les montagnes d'Étolie. Il y était depuis plusieurs années quand il apprit que

---

1. Les flèches de Cupidon inspirent une passion redoutable à tous ceux qu'elles frappent.

le roi de Calydon, Œnée, allait célébrer les fiançailles de sa fille *Déjanire* avec *Achéloüs*, fils de l'Océan et de Téthys. Il eut la curiosité d'assister aux fêtes données à cette occasion. Entre autres attractions, le tir à l'arc et la conduite des chars passionnaient la foule. C'est que la fille du roi était renommée pour sa supériorité dans ces deux genres d'exercice. Hercule fut en effet surpris de la justesse avec laquelle la jeune vierge atteignait immanquablement de sa flèche le but le plus éloigné ; il admirait sa hardiesse à diriger de fougueux coursiers et son habileté surprenante à éviter les obstacles et à tourner la borne.

La force et la beauté de Déjanire achevèrent la conquête de notre héros, qui n'eut plus qu'une pensée : la demander en mariage. Il voyait bien en Achéloüs un rival déjà sur les rangs, mais il avait surpris certaines conversations des spectateurs, enthousiastes comme lui de la jeune princesse. On racontait qu'Achéloüs était un beau parti, mais qu'il se transformait en serpent, en taureau ou, plus simplement, ajoutait deux cornes sur sa tête ; et l'on chuchotait que Déjanire ne soupirait pas en faveur d'un époux à métamorphoses.

Ces propos encouragèrent Hercule à se présenter. Il fut reçu à bras ouverts par la fiancée, heureuse d'échapper à son singulier prétendant.

Achéloüs ne consentit pas à se retirer sans lutte. Il provoque Hercule et cherche à le terroriser par ses changements successifs. Le vainqueur de l'Hydre de Lerne, du Sanglier d'Érymanthe et du Lion de Némée se revoyait dans son élément. Il terrasse ce pauvre Achéloüs et l'envoie rouler dans le fleuve Thoas où le malheureux fiancé noie sa défaite et son désespoir.

D. LA TUNIQUE DE NESSUS

Après cette nouvelle victoire qui ne fut pour lui qu'un jeu d'enfant, Hercule part avec sa digne épouse, plein d'allégresse et d'espoir dans une vie désormais heureuse et tranquille. Il était loin de se douter qu'il se dirigeait vers la douleur, vers la mort !

Sur le chemin à parcourir, il fallait traverser un fleuve important, le fleuve Évène, que la fonte des neiges avait rendu plus difficile à franchir. Le passage était confié à la garde des Centaures, ces êtres fabuleux, moitié hommes, moitié chevaux.

À l'arrivée du couple voyageur, le Centaure *Nessus* s'offre à les transporter au-delà des flots agités. Hercule décline ses services pour lui-même mais les accepte en faveur de sa compagne. Déjanire saute sur le dos de la monture improvisée, qui, plus prompte que l'éclair, gagne aussitôt l'autre rive.

Hercule se préparait à prendre la nage quand, ô stupeur ! il aperçoit le Centaure, à peine les pieds sur la terre ferme, s'éloigner d'un galop précipité. Le fils d'Alcmène bande son arc ; une flèche trempée dans le venin de l'Hydre de Lerne frappe en pleine poitrine le perfide ravisseur. Nessus avait reconnu Hercule, l'adversaire des Centaures décimés sous ses coups, et comptait le punir par le rapt de son épouse.

Sentant la mort venir, il ne veut pas expirer sans vengeance. Déjanire, approchée pour le secourir, entend ces mots murmurés d'une voix faible : « Ô princesse généreuse, ne m'accuse pas d'une vilaine pensée à ton égard. Je voulais t'éloigner d'un époux indigne de ton amour. Le Destin ne l'a pas permis. Avant de gagner la sombre demeure de Pluton, je te laisse un gage de ma reconnaissance : prends cette tunique, trempe-la dans mon sang, et si tu présumes l'infidélité d'Hercule — comme c'est probable — fais-la lui parvenir sans délai. Ce talisman te le ramènera bien vite, repentant et soumis. J'en jure par le Styx ! »

À peine prononcé le terrible serment, Nessus exhale son dernier soupir.

On va voir ce que valait le serment du Centaure. On va voir ce que dissimulait la tunique de Nessus.

E. LA MORT D'HERCULE

Hercule passe le fleuve, retrouve sa chère Déjanire qu'un moment il s'était cru ravie. Abandonnant le corps du Centaure aux bêtes sauvages et aux vautours qui se chargeront de sa sépulture, notre héros se croyait à jamais délivré de toute inquiétude. Cependant, les dernières paroles du Centaure expirant résonnent sans cesse à l'oreille de Déjanire.

Pour comble d'infortune, Hercule, revenant d'une fructueuse expédition, s'arrête en Eubée pour rendre grâces aux dieux et leur offrir un pieux sacrifice. Déjanire l'apprend ; elle apprend en outre que la charmante Iole, fille d'Euryte, roi du pays, pourrait être une rivale.

Envahie par le soupçon, confiante en la prédiction de Nessus, elle n'a qu'une pensée : précipiter le retour de son époux.

Elle charge un messager fidèle de lui transmettre son désir, le priant de la rejoindre en toute hâte, et, comme gage de sa tendresse, lui offre la fameuse tunique.

Touché de ce qu'il croit une preuve d'amour, Hercule va partir immédiatement et met sur ses épaules le présent de Déjanire, le souvenir de Nessus !

Le vêtement du Centaure l'effleure à peine et

soudain une cuisante brûlure se répand dans tout son corps. Il sent circuler dans ses veines le feu du poison. C'est le venin de l'Hydre qui, renforcé par le sang de Nessus, acquiert une nouvelle acuité, déterminant des souffrances intolérables. Malgré son courage, malgré son énergie, malgré ses efforts de volonté, Hercule ne peut réprimer des plaintes et des cris. S'il tente de se débarrasser de la terrible tunique, c'est pour en rendre l'adhérence plus complète ; s'il essaie de l'arracher de son corps ensanglanté, c'est pour enlever en même temps des lambeaux de chair corrompue. Impossible de subir davantage une lamentable existence. Il franchit péniblement les hauteurs du mont Œta où s'est retiré Philoctète, son ami de tous les temps, son ami de tous les jours, heureux et malheureux. Il veut mourir dans ses bras. Cette ultime consolation lui échappe. Il n'ose lui tendre la main. S'il allait lui communiquer l'horrible contagion ! Il pourra du moins expirer à sa vue et lui adresser son dernier regard.

Dans un ultime effort, il déracine les immenses pins de la forêt, construit un énorme bûcher, le gravit lentement, s'y couche sur la peau du Lion de Némée, son illustre massue à son côté, et clame d'une voix encore vibrante :

— Ô Philoctète ! Ô généreux ami ! reçois mon suprême adieu ; accepte de mon cœur les baisers que ma bouche craint de te prodiguer. Mon honneur, je le sais, t'est plus cher que ma vie. Je te le confie. Ne révèle à personne le lieu de ma mort. Gardes-en fidèlement le secret. Mets toi-même le feu à ce bûcher que j'ai voulu préparer de mes propres mains, et conserve, en souvenir de notre amitié fraternelle, ce qu'il me reste de plus précieux sur la terre : ces flèches trempées dans le sang de l'Hydre de Lerne. Les blessures qu'elles font sont mortelles. Grâce à ces flèches, tu seras invincible comme je l'ai été. Aucun être humain n'osera combattre contre toi. Adieu encore, mon cher Philoctète, adieu mon tendre ami, adieu le frère élu de mon cœur ! Adieu !

À cet émouvant appel, Philoctète, tout en pleurs, prend une torche, l'approche du bûcher ; le feu brille ; le bois crépite ; la flamme lèche de tous côtés l'amoncellement des pins ; la fumée enveloppante s'élève jusqu'au ciel en volutes tourbillonnantes. Le sacrifice est consommé. Hercule n'est plus ! Seules des cendres attestent qu'un incendie a passé par là.

Hercule n'est plus, c'est-à-dire que ce qu'il y avait de terrestre et de mortel en lui a disparu pour toujours. Mais, par l'ordre de Jupiter, il conserve la flamme céleste, le vrai principe de vie qu'il avait reçu du souverain des dieux.

Junon elle-même renonce à son ancienne rancœur. L'héroïsme et l'abnégation d'Hercule l'ont touchée. Elle lui pardonne ; elle oublie l'origine de sa naissance ; elle ne veut se souvenir que de ses exploits, et, cédant aux instances de Jupiter, elle consent à l'unir à sa propre fille, Hébé [1], près de laquelle il prendra place dans l'assemblée des célestes divinités.

Inquiète de ne pas voir revenir Hercule ni son messager, Déjanire, à force de recherches, finit par connaître l'horrible vérité. Elle ne peut survivre au chagrin que lui cause cette perte irréparable, et, versant d'abondantes larmes, meurt de douleur, en maudissant le hideux Nessus, et implorant d'Hercule un pitoyable et généreux pardon.

---

1. Elle est la personnification de la *Jeunesse* dont elle porte le nom grec.

ENTRACTE

Le Quotidien de l'Olympe

Fondateur : Cronos
Directeur : Jupiter
Rédacteur en chef : Mercure

50 000ᵉ année
n° 150220833
7 oboles

AVIS DE RECHERCHE

À chacun sa mère

Quatre héros célèbres cherchent leur mère. Ils savent que Jupiter est leur père. Mais le roi des dieux est l'époux de Junon. Pour tromper la légitime jalousie de celle-ci et séduire de jeunes et belles mortelles, il a dû se métamorphoser. À vous de réunir le fils et la mère en passant par la métamorphose paternelle.

Enfants	Métamorphoses de Jupiter	Jeunes mortelles
Persée	taureau	Léda
Hélène	pluie d'or	Europe
Minos	Amphitryon	Danaé
Hercule	cygne	Alcmène

Solution pp. 32, 35, 38, 122.

Où sont passées les muses ?

Neuf muses et leurs parents se cachent dans la grille. Si vous avez oublié leur nom, reportez-vous à la page 97 (attention aux intrus !).

```
O  T  I  A  P  H  E  R  C  U  L  E  E  A  G
T  A  R  T  A  R  U  A  T  L  A  S  C  I  R
A  N  T  E  R  A  T  O  H  D  A  P  H  N  E
C  T  R  A  Q  U  E  C  A  L  L  I  O  P  E
P  A  N  I  U  T  R  C  L  I  O  P  U  M  S
O  L  A  T  E  R  P  S  I  C  H  O  R  E  C
M  E  L  P  O  M  E  N  E  R  A  L  A  D  U
I  D  E  S  A  M  N  E  M  O  S  Y  N  E  L
X  A  R  Y  M  E  R  C  U  R  E  M  I  E  A
I  O  N  C  L  E  F  A  R  I  A  N  E  I  P
O  T  E  U  R  O  P  E  J  U  P  I  T  E  R
N  U  E  E  U  R  Y  D  I  C  E  E  C  H  O
```

I

CARNET MONDAIN

Bal masqué

Vous êtes invité(e) à un bal costumé dans le luxueux palais des dieux et des déesses sur le mont Olympe. Pour être accepté(e) à cette brillante réception, vous devez préparer votre déguisement en vous rendant aux **Nouvelles Galeries de l'Olympe,** *où vous trouverez tous les accessoires nécessaires.*

Votre carton d'invitation vous a attribué le nom latin d'un dieu ou d'une déesse dont vous devez revêtir l'apparence ; mais vous ne pourrez entrer dans le palais que sur la présentation du badge sur lequel est inscrit votre nom grec.

Pour être facilement reconnu(e) de tous, vous devez porter sur vous deux signes distinctifs : ce sont les attributs grâce auxquels on vous identifiera. Attention ! vous devez obligatoirement effectuer vos deux achats à deux étages différents (vous avez le choix entre trois rayons : objets, animaux, plantes et fruits). Et gare aux intrus qui se sont glissés à chaque étage !

L'index alphabétique (p. 221) vous fournira de précieux renseignements en même temps que les pages où retrouver vos modèles. Que la fête commence !...

VOUS **Apollon**   1) votre badge grec _____
ÊTES :   2) a – votre 1ᵉʳ achat _____
                                 b – votre 2ᵉ achat _____

Cérès   1) votre badge grec _____
                      2) a – votre 1ᵉʳ achat _____
                       b – votre 2ᵉ achat _____

Diane   1) votre badge grec _____
                      2) a – votre 1ᵉʳ achat _____
                       b – votre 2ᵉ achat _____

Junon   1) votre badge grec _____
                      2) a – votre 1ᵉʳ achat _____
                       b – votre 2ᵉ achat _____

Jupiter   1) votre badge grec _____
                      2) a – votre 1ᵉʳ achat _____
                       b – votre 2ᵉ achat _____

Bacchus   1) votre badge grec _____
                      2) a – votre 1ᵉʳ achat _____
                       b – votre 2ᵉ achat _____

Nouvelles Galeries de l'Olympe

3e ÉTAGE **Plantes** **et fruits**	Rameau d'olivier, branche de palmier, pomme, feuille de vigne, feuille de chêne, épi de blé, roseau, couronne de laurier, poire, feuille de lierre, cerise.
2e ÉTAGE **Animaux**	Paon, tortue, coq, lapin, panthère, aigle, serpent, colombe, cheval, chouette, biche, dauphin.
1er ÉTAGE **Objets**	Bouclier, lyre, trident, faucille, égide, marteau, coquille, chapeau et sandales avec des ailes, arc avec flèches et carquois, foudre, thyrse, caducée, enclume, diadème, sceptre.
REZ-DE-CHAUSSÉE **Badges**	Artémis, Héphaïstos, Athéna, Dionysos, Hestia, Zeus, Apollon, Déméter, Arès, Poséidon, Héra, Asclépios, Hermès, Aphrodite, Hadès.

Mercure 1) votre badge grec _____
          2) a – votre 1er achat _____
             b – votre 2e achat _____

Minerve 1) votre badge grec _____
          2) a – votre 1er achat _____
             b – votre 2e achat _____

Neptune 1) votre badge grec _____
          2) a – votre 1er achat _____
             b – votre 2e achat _____

Vénus 1) votre badge grec _____
          2) a – votre 1er achat _____
             b – votre 2e achat _____

III

AGENDA

Attention, travaux !

Votre cousin Eurysthée vous met à l'épreuve : vous devez réaliser douze travaux qui vont vous imposer de nombreux voyages. Voici douze vignettes, chacune renvoie à l'un de vos exploits. À vous de retrouver son titre et le numéro représentant l'exploit localisé sur la carte.

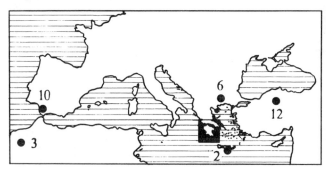

1 – un marais
2 – la Crète
3 – la Mauritanie
4 – le mont Érymanthe
5 – un lac du Péloponnèse
6 – la Thrace
7 – le mont Ménale
8 – les Enfers
9 – l'Élide
10 – l'Espagne
11 – une forêt en Argolide
12 – la Cappadoce

Titre : _____ Titre : _____ Titre : _____
N° : _____ N° : _____ N° : _____

Titre : _____ Titre : _____ Titre : _____
N° : _____ N° : _____ N° : _____

Titre : _____ Titre : _____ Titre : _____
N° : _____ N° : _____ N° : _____

Titre : _____ Titre : _____ Titre : _____
N° : _____ N° : _____ N° : _____

Votre voyage est terminé, bravo ! Vous êtes digne d'Hercule.
Solution pp. 124 à 136.

EN TOUTES LETTRES

Les énigmes du Sphinx

Sur la route de Thèbes, un monstre menaçant, le Sphinx, vous arrête. Si vous voulez continuer votre chemin, vous devez résoudre toutes les énigmes qu'il vous impose (pour chaque réponse, un tiret correspond à une lettre).

1 – Je suis un monstre qui demeure dans un enchevêtrement de salles et de couloirs et je me nourris de chair humaine.
_ _ _ _ _ _ _ _

2 – Du sang de ma tête tranchée a jailli Pégase, un cheval ailé. _ _ _ _ _ _

3 – Nous sommes trois vieilles filles et nous n'avons qu'un œil et qu'une dent à nous partager. _ _ _   _ _ _ _ _

4 – Jupiter garantit le bonheur et l'abondance à tous ceux qui me posséderaient ; je suis la toison d'un bélier qui lui a été sacrifié. _ _   _ _ _ _ _ _   _   _ _

5 – J'ai été courtisée par Jupiter métamorphosé en pluie d'or et livrée par mon père, avec mon fils, au hasard des flots. _ _ _ _ _

6 – Je suis belle et j'en étais trop fière, aussi m'a-t-on enchaînée sur un rocher au bord des flots pour me livrer à un monstre marin. _ _ _ _ _ _ _ _ _

7 – Le succès de l'entreprise de mon fiancé ne tenait qu'à un fil, je le lui ai donné. _ _ _ _ _ _

8 – Je suis le berger qui a donné la pomme d'or "à la plus belle" des déesses et qui a causé la ruine de sa patrie.
_ _ _ _ _

9 – Mon oncle a exigé que je lui rapporte un trésor fabuleux et c'est pourquoi je suis à la tête d'une cinquantaine d'intrépides qui naviguent à bord de l'*Argo*. _ _ _ _ _

10 – Fou de douleur, je me suis jeté dans une mer qui porte mon nom. _ _ _ _

11 – Je suis le roi des rois grecs qui ont organisé une expédition contre une riche ville d'Asie Mineure.
_ _ _ _ _ _ _ _

12 – Roi de Thessalie, j'ai été détrôné par mon frère cadet. Ma force et ma jeunesse me furent rendues par les soins d'une magicienne. _ _ _ _ _

13 – Je suis un devin infaillible : Diane a demandé par ma bouche un sacrifice pénible à un roi. _ _ _ _ _ _ _

Ces petites énigmes ont amusé le Sphinx et l'ont mis en appétit ! Il exige maintenant que, pour sauver votre vie, vous désigniez les quatre personnages importants qu'il vous décrit ainsi :

A) Fils du n° 5, grâce au vol de l'œil et de la dent du n° 3, il a pu trouver le refuge du n° 2 et lui trancher la tête. Il a sauvé et épousé le n° 6. _ _ _ _ _ _

B) Fils du n° 10, il se distingua par maintes prouesses, dont celle de tuer le n° 1. Mais il abandonna le n° 7 à qui il devait la vie. _ _ _ _ _ _

C) Fille du n° 11, elle a accepté les conditions de l'oracle du n° 13 et sauvé l'honneur de son pays, bafoué par le n° 8.
_ _ _ _ _ _ _ _

D) Ayant pénétré le secret des herbes magiques, cette belle rousse a aidé le n° 9, qui la trahira par la suite, à conquérir le n° 4 et a rajeuni le n° 12. _ _ _ _ _

Vous avez trouvé la solution de ces énigmes : BRAVO ! Les habitants de Thèbes vous feront un triomphe.

Il vous manque des réponses : si vous ne voulez pas être dévoré(e), relisez les légendes pp. 35, 145, 172, 179, 190, 197.

<u>VISA</u>

Passeport pour les Enfers

Vous avez décidé de visiter le monde souterrain ; votre billet de retour ne vous sera délivré qu'à condition de nommer toutes les curiosités que vous allez rencontrer. Bon courage !...

un dieu vous
conduit
_____

une barque
avec
son passeur
_____

un fleuve sur lequel
on prête serment

: vers un lieu de châtim

trois juges
_____
_____

des condamnés (nommez-les) à des supplices éternels :

doit pousser
_____

enchaîné près de

enchaîné à

doivent
remplir

_____

_____

_____

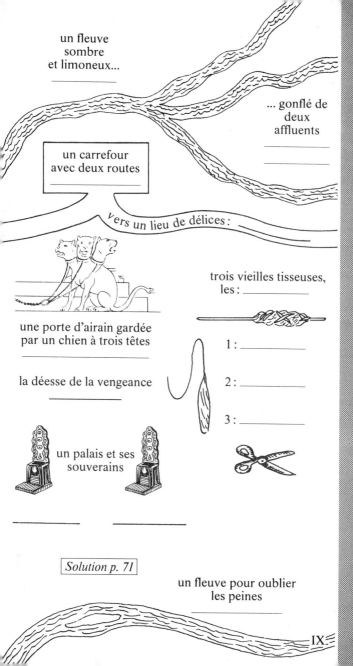

un fleuve
sombre
et limoneux...

_____

... gonflé de
deux
affluents

_____

_____

un carrefour
avec deux routes

_____

vers un lieu de délices :

_____

trois vieilles tisseuses,
les : _____

une porte d'airain gardée
par un chien à trois têtes

_____

1 : _____

la déesse de la vengeance

_____

2 : _____

3 : _____

un palais et ses
souverains

_____   _____

Solution p. 71

un fleuve pour oublier
les peines

_____

IX

NOS PETITES ANNONCES
Le coin des rencontres

Voici une série de vingt petites annonces adressées à notre journal. Retrouvez les auteurs de chacun de ces messages dans les deux listes proposées (attention aux intrus) et organisez les rendez-vous.

1 – J.H. d'excellente famille, a déjà tué la Gorgone Méduse, débarrasse J.F. de monstres en tout genre.
ÉCRIRE À : _____

2 – Musicien très doué recherche épouse désespérément, prêt à descendre aux Enfers si besoin.
ÉCRIRE À : _____

3 – Irrésistible fils de Vénus, souhaite épouser charmante J.F. qui lui promettrait de ne pas le regarder.
ÉCRIRE À : _____

4 – Beau berger de naissance royale, arbitre officiel des déesses, attend récompense promise avec impatience.
ÉCRIRE À : _____

5 – Roi des dieux et des séducteurs, charme foudroyant, recherche agréable mortelle pour aventure éclair.
ÉCRIRE À : _____

A – Adorable princesse thébaine, douce et innocente, brûle connaître coup de foudre pour échanges ardents.
SIGNÉ : _____

B – Princesse crétoise, attend coup de fil impatiemment pour faire de la voile. Aventuriers étourdis s'abstenir.
SIGNÉ : _____

C – Championne de tir à l'arc et de conduite, souhaite offrir à son époux charmante tunique pour fêter retour.
SIGNÉ : _____

D – Nymphe douce et réservée, offrirait tendresse à galant sachant attendre. Belle couronne de laurier en prime.
SIGNÉ : _____

E – Chaste déesse, sensible à la fraîcheur enfantine, propose rencontres nocturnes pour partager réveil à deux.
SIGNÉ : _____

6 – Très riche propriétaire immense domaine souterrain, 4 chevaux, chien à 3 têtes, souhaite fonder foyer.

ÉCRIRE À : _____

7 – Riche héritier athénien cherche à nouer le fil avec J.F. distinguée pour sortir complication inextricable.

ÉCRIRE À : _____

8 – Très jeune berger, délicieux charme enfantin, bien reposé, prêt à réveiller amour divin.

ÉCRIRE À : _____

9 – Puissant athlète, nombreux exploits (12), épouserait J.F. sportive, prête à attendre, cadeaux s'abstenir.

ÉCRIRE À : _____

10 – Musicien pressé, très brillante renommée, embrasserait nymphe peu farouche. Prière ne pas rester plantée.

ÉCRIRE À : _____

F – Très belle J.F. enchaînée, menacée par monstre marin, cherche J.H. pour la délivrer. Mariage assuré.

SIGNÉ : _____

G – Épouse du roi de Sparte, prête à vivre aventure exotique avec prince troyen sans crainte des conséquences.

SIGNÉ : _____

H – Jeune mariée prisonnière de Pluton, appelle époux bien-aimé pour venir la chercher. Prière ne pas se retourner.

SIGNÉ : _____

I – J.F. exceptionnelle beauté, digne d'une déesse, menacée par jalousie de Vénus, aspire à mariage heureux.

SIGNÉ : _____

J – Ravissante J.F. aimant les fleurs, prête à quitter sa mère six mois pour ravir son riche ravisseur.

SIGNÉ : _____

Thésée (p. 145), Endymion (p. 108), Persée (p. 172), Hercule (p. 122), Orphée (p. 201), Pluton (p. 68), Cupidon (p. 164), Jason (p. 179), Apollon (p. 92), Pâris (p. 190), Actéon (p. 107), Jupiter (p. 31).

Déjanire (p. 139), Proserpine (p. 68), Psyché (p. 164), Daphné (p. 94), Andromède (p. 175), Diane (p. 105), Léda (p. 38), Médée (p. 187), Eurydice (p. 202), Hélène (p. 195), Sémélé (p. 118).

Vous les avez reconnus !
Que Vénus protège ces dix unions célèbres !

MERCURIALES

Échos de l'assemblée

*Tous les **mercredis**, **Mercure** relate les décisions et observations des dieux réunis en conseil. Mais aujourd'hui, feignant l'amnésie, notre rusé rédacteur a dérobé certains mots. A vous de les retrouver.*

CLAUDICATION POUR UN RATÉ

"Il était trop laid", ont déclaré ses illustres parents. Précipité du haut de l'Olympe, Vulcain a été retrouvé gisant dans l'île de _____. L'accident laisse de bien tristes séquelles : l'enfant divin restera définitivement _____.

Solution p. 79.

AVIS DE DÉCÈS

Le dieu Apollon a la douleur de vous faire part de la disparition de son ami Hyacinthe. Pendant un exercice au lancer du _____, le vent a saisi l'objet au vol et l'a abattu sur le crâne du jeune pâtre qu'il a tué sur le coup. De son sang est née la pâle _____ au pénétrant parfum. *Solution p. 94.*

CUISINE FAMILIALE

Le roi de Lydie, _____, vient d'expérimenter une bien étrange recette : il a invité les dieux à un banquet et leur a servi les morceaux découpés dans la chair de son propre _____. Horrifiée, l'assemblée médite un châtiment exemplaire.

Solution p. 74.

LA ROUE TOURNE

Ixion a encore essayé d'abuser Jupiter en important son _____. Démasqué, il a été précipité aux _____. Il y sera écartelé sur une roue tournante à mouvement perpétuel.

Solution p. 74.

ENCORE UN PROJET CHIMÉRIQUE

Grâce à Pégase, son fidèle _____ ailé, le jeune Bellérophon a débarrassé la Lycie d'un monstre fabuleux, la _____. Nul doute que Jupiter saura le récompenser si ce beau succès ne lui monte pas à la tête. *Solution p. 214.*

FAITS DIVERS

Le commissaire Mytho mène l'enquête

Depuis quelques mois, des meurtres plus mystérieux les uns que les autres ont défrayé la chronique. Les autorités font appel au célèbre commissaire Mytho. Accompagnez-le et aidez-le à résoudre ces affaires peu banales.

Meurtre en Phrygie

Un crime affreux! En se promenant dans les bois, un jeune homme a fait une bien macabre découverte: accrochée à un arbre pendait, tel un vieux vêtement, la peau d'un être peu commun. Celui-ci devait avoir une figure et un torse d'apparence humaine, mais on voyait aussi des cornes, une barbiche et des pieds de bouc.

Seul indice communiqué à notre subtil commissaire: un concours de musique a eu lieu dans le bois, mais on ne sait si cet événement est lié au meurtre. Le dieu Apollon était de la fête et on a retrouvé une flûte au pied de l'arbre.

Quelle est l'identité de cette mystérieuse victime? Qui lui a infligé un si horrible châtiment et pourquoi?

Solution p. 100.

Rebondissement dans l'affaire d'Épidaure

Après autopsie, on a pu identifier le corps calciné, retrouvé hier à Épidaure. Il s'agissait du célèbre médecin Esculape dont la disparition avait été signalée à notre indispensable commissaire par l'un de ses fils. De toute la Grèce, on accourait pour se rendre à ses consultations. N'avait-il pas la réputation de faire des miracles même dans les cas désespérés?

D'après un témoin, Esculape aurait reçu des menaces de mort.

Qui aurait pu en vouloir à l'illustre médecin? Quelles sont les circonstances de sa mort?

Solution pp. 93 et 211.

Le palais d'Athènes en deuil

On vient d'apprendre coup sur coup la disparition du fils de Thésée et le suicide de la reine Phèdre. Le corps déchiré d'Hippolyte, gisant au milieu des restes de son char, a été retrouvé au fond d'un ravin, près de la mer.

Notre remarquable commissaire, appelé sur les lieux, a repéré des traces de brûlures sur les cadavres du jeune homme et des chevaux. Il a aussi constaté que les débris du char et les herbes aux alentours sont partiellement carbonisés. Tout près de la grève, il a ramassé quelques écailles jaunissantes, de fort grande taille. Elles appartiennent sans doute à un animal dont l'espèce reste inconnue.

Pourquoi le rapport de police, remis aujourd'hui au tribunal de Jupiter, conclut-il à un meurtre avec préméditation et complicités mettant en cause des dieux?

Solution p. 150.

Vol sans précédent

Furieux de la disparition de son troupeau de bœufs, le dieu Apollon a demandé à notre perspicace commissaire de retrouver ses précieux ruminants.

Un vieux berger du nom de Battus a affirmé avoir vu, dans la nuit, la silhouette d'un individu faisant sortir les animaux de leur caverne : il tenait à la main une étrange baguette surmontée de deux serpents. Seule piste relevée sur les lieux : les bœufs ont laissé de profondes empreintes dans le sol boueux, mais ces traces conduisent vers la caverne comme si le troupeau y entrait au lieu d'en sortir ! Non loin de là un rocher vient de surgir du sol et Battus, seul témoin de l'affaire, est désormais introuvable.

Qui a volé les bœufs sacrés ? Comment expliquer les phénomènes mystérieux constatés par le commissaire ?

Solution p. 113.

XIV

Un père dans l'angoisse

Aristée a vu revenir la meute de son fils Actéon, mais celui-ci, grand amateur de chasse, n'a toujours pas réapparu.

En quête d'indices, notre intrépide commissaire a eu l'idée d'utiliser le flair des propres chiens du jeune homme. Tout essoufflé à les suivre dans les vallons et les bosquets, il est enfin parvenu à une grotte cachée d'où s'écoule une source limpide. Dans ce cadre enchanteur, les limiers frétillants se sont arrêtés auprès d'un arc et d'un carquois, sans doute ceux d'Actéon. L'un d'eux a entraîné le commissaire devant le cadavre dépecé d'un cerf aux bois élégants.

Est-il sur la bonne piste ? Qu'est devenu Actéon ?

Solution p. 107.

Mystérieuse disparition en Lydie

Les amis d'Arachnée se sont étonnés de trouver son atelier fermé : personne n'a revu la célèbre brodeuse depuis qu'elle a achevé sa dernière tapisserie.

Notre précieux commissaire a fait ouvrir la porte qui était fermée de l'intérieur. Il n'a relevé aucune trace de désordre dans la pièce ; seule la tapisserie était déchirée en lambeaux épars. On se perd en conjectures : – acte de vengeance inspiré par la jalousie ? mais on ne connaît pas d'ennemi à la douce jeune fille si fière de son premier prix de dentelles ; – crime d'un rôdeur ? or, aucun objet n'a disparu ; – fugue et peut-être suicide ? pourtant Arachnée semblait très heureuse ces derniers temps.

Le commissaire est revenu inspecter l'atelier mystérieux. Dans la pénombre, une hideuse araignée, noire et velue, tisse lentement sa toile.

Que s'est-il donc passé ?

Solution p. 50.

SPECTACLES

Et si on allait au cinéma ?

Vous pourrez retrouver vos héros et partager leurs aventures dans quelques films dont nous avons sélectionné les plus intéressants, tous disponibles en cassettes vidéo, et dont nous vous signalons quelques scènes à ne pas manquer. À vos magnétoscopes !

HERCULE : De très nombreux films lui ont été consacrés. Retenons :
– *Les Travaux d'Hercule*, de Pietro Francisci (1957).
– *Hercule et la reine de Lydie*, de Pietro Francisci (1958) : Hercule lutte avec le géant Antée.
– *Hercule à la conquête de l'Atlantide*, de Vittorio Cottafavi (1961) : apparition de Nérée se livrant à d'étonnantes métamorphoses.
– *Hercule contre les vampires*, de Mario Bava (1961) : Hercule, accompagné de Thésée[1], affronte Procuste, qui a pris la forme d'un géant de pierre, et ses lits infernaux. Longue visite aux Enfers et rencontre avec Proserpine.
– *Ulysse contre Hercule*, de Mario Caiano (1961) : amusante rivalité entre les deux célèbres héros. Apparition de Prométhée dans le prologue.
– *Hercule à New York*, d'Arthur Seidelman (1969) : parodie moderne du mythe, avec un débutant : Arnold Schwarzenegger !

JASON : – *Le Géant de Thessalie*, de Riccardo Freda (1960).
– *Jason et les Argonautes*, de Don Chaffey (1963) : beaux effets spéciaux pour présenter le périple complet avec de nombreuses aventures (le géant Talos, les Harpyes, combat contre des squelettes armés surgis du sol).

PERSÉE : Un film doté de beaux effets spéciaux (même créateur que pour *Jason et les Argonautes)* lui est entièrement consacré :
– *Le Choc des Titans*, de Desmond Davis (1981) : assemblée des Olympiens présidée par Zeus-Laurence Olivier ! Dressage de Pégase, passage du Styx avec Charon, combat avec Méduse, lutte contre le monstre marin prêt à dévorer Andromède.
– *Persée l'Invincible*, d'Alberto de Martino (1962).

Signalons encore le Cyclope **Polyphème** dans *Ulysse* (rôle joué par Kirk Douglas), de Mario Camerini (1954), **les Titans** dans *Les Titans*, de Duccio Tessari (1961), **les jeux Olympiques** dans *Astérix aux jeux Olympiques,* de Goscinny et Uderzo (1976), **Pâris et Hélène,** dans *Hélène de Troie*, de Robert Wise (1954).

1 – Thésée est le héros de *Thésée et le Minotaure*, de Silvio Amadio (1960) (actuellement non disponible en vidéo).

Cerbère
*Amphore attique à figures rouges
vers 530 av. J.-C.*

THÉSÉE

O N peut considérer Hercule comme le prototype des héros de l'antiquité, d'après les légendes thébaines.

Son digne émule nous est présenté dans les légendes athéniennes en la personne de *Thésée*, fils d'Égée roi d'Athènes, et d'Ethra princesse de Trézène.

De même que le fils d'Alcmène, Thésée combattit les Amazones et les Centaures, lutta contre les bêtes sauvages et les Géants ; il poursuivit les brigands à travers le monde et se distingua par maintes prouesses. Il en est une qui prime les autres, c'est l'histoire du Minotaure sur laquelle vient se greffer celle d'Ariane, fille de Minos, roi de Crète.

Nous allons vous la narrer par le menu.

À cette époque — comme d'ailleurs cela se passe aujourd'hui sous nos yeux — il était d'usage entre pays voisins et amis de réunir l'élite de la jeunesse pour concourir dans les exercices de lutte, de course et d'adresse. Les vainqueurs étaient proclamés, des récompenses et des prix décernés avec la plus loyale impartialité.

À l'une de ces réunions prirent part les champions de Crète et d'Athènes.

Androgée, le fils de Minos, emporta le prix de la lutte sur les citoyens d'Athènes et de Mégare. Les Athéniens n'acceptèrent pas de sang-froid l'affront d'une défaite, même pacifique. Androgée fut lâchement assassiné.

Le roi de Crète, Minos, rassemble ses guerriers, les embarque, arrive à Mégare, met le siège devant cette ville, la prend d'assaut et se dirige sur Athènes.

La cité de Minerve se défend plus longtemps ; bientôt ses ressources s'épuisent ; elle pressent qu'elle va succomber et subir le sort de Mégare. En désespoir de cause, les chefs athéniens invoquent l'oracle de Delphes pour connaître le moyen de conjurer le danger qui les menace. « Il n'y en a pas d'autre, répond la Pythie, que d'accepter à l'avance les conditions de Minos. »

1. LE MINOTAURE

Le roi de Crète, douloureusement courroucé de la mort de son fils, impose l'envoi dans son île, chaque année, pendant trente ans, de sept jeunes garçons et sept jeunes filles d'Athènes pour être livrés au Minotaure.

Ce Minotaure était un taureau gigantesque d'une force inouïe, et se nourrissait de chair humaine.

Absent pendant la guerre, Thésée ignorait le tragique incident qui l'avait provoquée. Il arrive au moment de la livraison de cette belle jeunesse. Mis au courant, il veut l'accompagner et en partager le sort.

Son vieux père, Égée, le supplie de n'en rien faire. Les victimes ont été désignées ; il n'en fait pas partie.

Thésée reste sourd à ses plaintes ; sa volonté est formelle ; son devoir est tracé : il assistera ses compatriotes, ses amis. Serait-il digne autrement de s'asseoir un jour sur le trône ? « Rassurez-vous, mon père, lui dit-il, je vais où l'honneur m'appelle. Je triompherai du monstre, et bientôt vous aurez le grand bonheur de nous revoir tous sains et saufs dans notre chère et grande patrie ! »

Égée reste sur le rivage ; le navire, aux voiles noires en signe de tristesse et de deuil, s'éloigne, emportant son fils bien-aimé. La nef se rapetisse peu à peu, elle finit par n'être plus qu'un point imperceptible et disparaît à l'horizon.

Le roi d'Athènes, courbé par l'âge, accablé de douleur, regagne péniblement son palais.

Un faible espoir lui reste. Avant le départ, il a fait au pilote une suprême recommandation : « Quand tu ramèneras le navire, si Thésée est avec toi, garnis les mâts de voiles blanches ; autrement, j'aurai compris : je ne reverrai plus mon fils. »

2. LE LABYRINTHE

Je ne vous ai pas dit que le Minotaure était relégué dans une profonde caverne, à l'extrémité d'une demeure étrange appelée *Labyrinthe*. Le plus habile et le plus astucieux architecte du temps[1] en avait dressé les plans et minutieusement combiné la construction aussi extraordinaire qu'invraisemblable. Cette demeure fantastique comportait un enchevê-

---

1. Cet architecte s'appelle Dédale.

trement de couloirs, de détours, de circuits, de salles, de corridors enclavés les uns dans les autres, à tel point qu'une fois entré il était impossible d'en sortir, et l'on devenait immanquablement la proie du vorace habitant de ce lieu maudit [1].

3. ARIANE

Quand fut annoncée l'arrivée du vaisseau d'Athènes, les insulaires de Crète vinrent assister au débarquement des passagers.

Spectatrice émue de ce triste défilé, Ariane, fille de Minos, remarque parmi les jeunes gens l'un d'eux, au port altier et vraiment royal. Elle apprend que Thésée, le propre fils d'Égée, s'est livré volontairement. Elle le connaissait de réputation ; elle savait son courage ; elle voyait son air mâle, admirait sa beauté. Son cœur frémit à la pensée de la terrible mort qu'il affronte. Elle ne peut s'empêcher de lui communiquer sa crainte. Elle offre de le sauver, même au péril de ses jours. Thésée subit le charme et l'attrait de la jeune princesse. Le dévouement dont il est l'objet attendrit le héros. S'il sort indemne du Labyrinthe, Ariane sera son épouse. La fille de Minos en accepte l'augure, et remet à son futur et intrépide mari un peloton de fil dont elle retient l'extrémité. « Que sa main garde soigneusement ce fil pendant qu'il se déroulera. Pour revenir à la lumière, Thésée n'aura qu'à le suivre, guide infaillible et sûr. »

Le groupe des victimes s'avance, il approche du Labyrinthe, en franchit l'entrée et disparaît.

---

1. Devenus noms communs, « labyrinthe » et « dédale » désignent un enchevêtrement inextricable, au sens propre comme au sens figuré.

Toute tremblante, Ariane perçoit en sa main les hésitations du fil qui relatent les mouvements de Thésée. Bientôt résonnent les mugissements du Minotaure. L'agitation du fil traduit les péripéties d'un combat. On avance, on recule, on s'arrête. Subitement le silence. Le fil ne bouge plus. Qu'est-il arrivé ?

L'angoisse étreint le cœur d'Ariane. Est-ce une illusion ? Il lui semble que le fil a remué ; il lui semble percevoir des cris lointains. De quelle nature ? Les échos en peuvent modifier le sens à travers les méandres innombrables. Cette fois, non, elle ne s'est pas trompée : ces cris sont des cris d'allégresse. Le bruit se rapproche plus clair et plus précis. Nul doute, le Minotaure a succombé. Le fil remue plus rapide et plus ferme. Thésée est sauvé. Elle tombe dans ses bras, tremblante d'émotion et de bonheur. Les voilà réunis.

Thésée avec Ariane entraîne vers le port ses compatriotes délivrés par sa vaillance. On hisse les voiles ; on part.

La mer, d'abord d'un bleu azur, emprunte progressivement une teinte sombre et menaçante. Le vent tourne et se met à souffler avec violence. De gros nuages noirs surplombent les eaux et masquent le jour. La tempête s'annonce ; elle éclate soudaine et furieuse. On cargue les voiles. Il faut s'abriter. On relâche dans l'île de Naxos.

Ariane, épuisée de fatigue, s'y repose ; le sommeil la gagne. Elle s'endort.

L'alerte cependant est de courte durée ; le calme renaît ; le soleil reparaît dans un ciel pur et serein. Les matelots impatients reprennent vivement la manœuvre et gagnent la haute mer.

Par un inexplicable oubli, Thésée abandonne Ariane endormie.

À son réveil, la fille de Minos, la fiancée du héros,

ouvre des yeux hagards. Plus personne dans l'île ; plus de navire en vue ; elle croit rêver. Courant affolée sur la côte, elle se lamente, lance au ciel de suppliantes clameurs, et regarde en pleurant l'immensité des eaux. Par un hasard inespéré, Bacchus, revenant de son expédition des Indes, entend les cris de l'infortunée. Il s'empresse auprès d'elle, cherche à calmer son chagrin, prononce des paroles douces et amicales. Ariane l'écoute sans déplaisir ; tous deux maudissent le fugitif. Finalement, la fille de Minos, perdant un fiancé, retrouve en Bacchus un époux.

Pendant ce temps, le vaisseau poussé par les favorables zéphyrs n'est plus loin du terme de sa course. On aperçoit déjà les côtes de l'Attique.

Pour être le premier à saluer son vieux père, Thésée se dresse sur la proue du navire. Égée apparaît ; Thésée reconnaît sans peine le roi d'Athènes, mais c'est pour le voir se précipiter dans la mer et disparaître sous les flots.

Le pilote, dans la joie de regagner sa patrie, n'avait plus pensé à changer les voiles noires !

La mort du Minotaure, le triomphe du retour n'existent plus pour Thésée. La douleur l'accable et lui brise le cœur.

Ne subissait-il pas l'effet de la Justice immanente ? Les dieux ne voulaient-ils pas, en frappant la tendresse du fils, punir l'ingratitude et l'infidélité du guerrier vainqueur ?

4. PHÈDRE ET HIPPOLYTE

Égée avait péri dans la mer qui porte son nom. Le Minotaure terrassé rendait Thésée digne, comme il le disait lui-même, de monter sur le trône d'Athènes.

Selon toute apparence, son règne devait être calme et prospère. Le Destin, toujours jaloux du bonheur des hommes, surtout des héros, en décida autrement.

D'un premier mariage avec Antiope, reine des Amazones, Thésée avait eu Hippolyte. Quand il épousa en secondes noces Phèdre, sœur d'Ariane, le fils d'Antiope était déjà un bel adolescent. Il ne se plaisait qu'à l'étude de la sagesse et nourrissait un ardent plaisir pour la chasse.

Vénus, froissée que le jeune prince négligeât ses autels, inspire à la fille de Minos et de Pasiphaé une violente passion pour son beau-fils. Hippolyte repousse ses avances. Phèdre, dans son dépit, furieuse de se voir dédaignée, a l'infamie de se plaindre à Thésée qu'Hippolyte lui ait manqué de respect. Elle ose souligner son dire de mensonges et de calomnies, si bien que le crédule roi d'Athènes ne met pas en doute ses paroles et prononce contre son fils la peine de l'exil.

Vénus, poursuivant sa vengeance, prie Neptune de la seconder de tout son pouvoir.

Tandis que le jeune prince monté sur son char s'éloignait de sa patrie, en « suivant tout pensif » le rivage, le dieu des Mers fait surgir de l'écume des flots un monstre furieux.

> Son front large est armé de cornes menaçantes,
> Tout son corps est couvert d'écailles jaunissantes ;
> Indomptable taureau, dragon impétueux,
> Sa croupe se recourbe en replis tortueux [1].

Les coursiers, aveuglés par la fumée et le feu sortant de la gueule et des narines du monstre, se cabrent, hennissent d'effroi, leurs crins se hérissent, leurs oreilles se dressent.

---

1. Jean Racine, *Phèdre*, acte V, scène VI.

Ils ne connaissent plus ni le frein, ni la voix [1].

La terreur les entraîne dans une course vertigineuse à travers récifs, ronces et précipices. Le char secoué de cahot en cahot se brise, les roues volent en éclats ; Hippolyte, brutalement projeté sur le sol, a le corps déchiré, le crâne fracassé, et meurt en murmurant dans un soupir le doux nom de son père.

À l'annonce de cette horrible fin, Phèdre, prise de remords, est sur le point de perdre la raison. Elle se jette aux genoux de Thésée, fond en larmes, sincères cette fois, avoue qu'elle a formulé une odieuse et fausse accusation. Reconnaissant la parfaite innocence d'Hippolyte, elle se déclare seule coupable, s'accuse, se maudit, et, ne pouvant survivre à la honte de son imposture, se donne volontairement la mort.

5. MORT DE THÉSÉE

Cruellement affligé de la double perte d'un fils chéri et d'une épouse dont il croyait posséder l'affection, Thésée pense calmer sa peine en reprenant le cours de ses exploits.

Quand il revient dans Athènes, il ne trouve que désordre et anarchie. Les citoyens sont armés les uns contre les autres. Il essaie d'obtenir la conciliation. À bout de patience et de force, désespérant de parvenir à rétablir la concorde, il se résout à quitter Athènes et se retire dans l'île de Scyros avec ce qui lui reste de famille. Là, du moins, pense-t-il, ses jours s'achèveront dans une tranquille paix. Il n'eut pas cette consolation. Le roi de Scyros, Lycomède, soit par

1. Jean Racine, *Phèdre*, acte V, scène VI.

jalousie, soit par crainte de posséder sur ses terres un souverain jadis si puissant, eut le triste courage de l'emmener sur une haute montagne, sous prétexte de mieux voir l'étendue de son royaume, et le précipita lâchement sur les roches saillantes.

Ainsi périt misérablement le père d'Hippolyte et le héros qu'Ariane avait sauvé du Labyrinthe.

ŒDIPE

ST-IL une plus lamentable existence que celle réservée à Œdipe depuis sa naissance jusqu'à ses derniers jours !

Il nous faut cependant raconter sa pénible histoire, dont les péripéties ne manqueront pas d'émouvoir les âmes sensibles.

Pour être complet et précis, nous devons remonter à l'origine des Labdacides, c'est-à-dire à Labdacus, roi de Thèbes, premier roi de la race qui lui doit son nom.

Labdacus était fils de Polydore et petit-fils de Cadmus. Nyctis devint sa femme et la mère de Laïus, qui lui succéda sur le trône thébain.

Laïus épousa à son tour Jocaste, fille de Ménécée et sœur de Créon, tous deux faisant partie de la famille royale de Thèbes.

Ici débute la genèse des douloureux épisodes dont nous avons entrepris la pitoyable narration.

Aux premiers jours de son union avec Jocaste, Laïus désira connaître la suite qu'il en pouvait espérer.

L'oracle lui apprend qu'ils auront un fils, mais que ce fils, — étrange et troublante prédiction —, mettra son père à mort et deviendra l'époux de sa mère.

De retour en son palais, Laïus veut écarter ce lugubre présage.

Il attend la naissance de l'enfant redouté. Œdipe vient au monde. Son père le remet immédiatement entre les mains de l'officier de ses gardes avec mission de le faire mourir sur-le-champ.

Pour exécuter l'ordre du roi, le soldat porte l'enfant sur le mont Cithéron, qui domine la ville. Pendant le trajet, il est touché de compassion, en entendant les vagissements du pauvre petit être, et n'a pas le courage de répandre son sang. Il se contente de lui lier les pieds avec un jonc flexible et de le suspendre à un arbre de la forêt, au point culminant de la montagne.

Par une fortuite coïncidence, Phorbas, le berger de Polybe, roi de Corinthe, avait traversé l'isthme et conduit ses troupeaux paître sur les hauteurs du Cithéron. Il perçoit des cris, se dirige de ce côté, voit l'enfant, le détache, et, n'ayant aucun indice de ce qu'il peut être, le nourrit pendant quelques jours du lait de ses brebis, puis le ramène avec ses troupeaux jusqu'à Corinthe.

La reine, qui n'a pas de postérité, l'adopte. On ignore son nom ; elle lui en donne un, *Œdipe*, qui dans la langue grecque signifie : « pieds gonflés ». Elle se charge de l'élever, le traite comme son propre enfant et en fait un prince accompli.

Œdipe, poussé par une curiosité semblable à celle qui avait inspiré son vrai père, Laïus, suit son exemple et se rend au temple de l'Oracle. La Pythie, sans lui révéler le secret de sa naissance, sans lui dévoiler les auteurs de ses jours, lui déclare brutalement : « *Tu seras le meurtrier de ton père, et tu épouseras ta mère !* »

Il n'ose, dans ces conditions, regagner le palais de Polybe, qu'il croit son père, de peur de devenir parricide. En quittant le temple de Delphes, il porte ses pas du côté de la Béotie. Sur la route, dans un chemin creux, un étranger, un inconnu, d'un air arrogant lui enjoint de céder le passage. La fierté d'Œdipe se révolte ; il s'y refuse. L'étranger, l'inconnu, menace de frapper, mais, prévenu par la promptitude de son adversaire, n'échappe pas à un coup mortel. L'étranger, l'inconnu, expire aux pieds d'Œdipe. L'étranger, l'inconnu, c'était Laïus, c'était son père, son véritable père !

1. LE SPHINX

Œdipe reprend sa route sans se soucier de l'incident. Aux portes de Thèbes, il trouve les habitants plongés dans la stupeur et la crainte. On ne peut sortir de la ville ou y entrer sans que du Cithéron ne descende un monstre, ayant le visage et la poitrine d'une femme, les griffes d'un lion, le corps d'un chien, la queue d'un dragon, le tout surmonté d'ailes fantastiques. Cet animal arrête tout voyageur et ne lui permet de passer que s'il résout une énigme.

Le successeur de Laïus, Créon, frère de Jocaste, promettait la main de sa sœur à qui exterminerait le *Sphinx* (c'est le nom du monstre). Il alla même jusqu'à offrir sa couronne à qui délivrerait ses concitoyens de la menace qui les faisait trembler pour leur vie. En effet, de ceux qui s'étaient présentés aucun

ŒDIPE

Œdipe et le Sphinx.

Entrez dans la légende

— Le sphinx est un être fabuleux : de quels éléments précis est-il composé ?
— À partir de quels détails peut-on deviner qu'Œdipe est un voyageur ?
— Quel lieu marque symboliquement la colonne ?

LE SAVIEZ-VOUS ?

Au début du XXe siècle, le célèbre médecin autrichien Freud a donné le nom de « complexe d'Œdipe » à l'attrait instinctif éprouvé par tout enfant pour sa mère, sentiment doublé d'une volonté de rivalité à l'égard du père.

n'avait pu deviner, aucun n'avait reparu ; tous avaient été déchirés par les griffes du monstre, tous dévorés, et leurs ossements gisaient épars autour de la ville.

Devant ce hideux spectacle, Œdipe propose d'affronter le péril. Quelle est donc cette énigme ? Il va la connaître en se dirigeant sans crainte sur la route fatale. À peine est-il en vue que le Sphinx déploie ses larges ailes noires, pousse un cri rauque et lugubre en proférant ces mots pleins de menaces :

— Arrête, et réponds-moi !

— Quelle réponse te faut-il ?

— Désigner l'animal qui, le matin, marche sur quatre pieds, sur deux à midi, et sur trois le soir ?

— Tu veux la réponse ? riposte Œdipe. Crains de l'entendre et prépare-toi à mourir. Cet animal, c'est l'homme ! Au matin de la vie, il s'aide de ses deux pieds et de ses deux mains ; au milieu de son existence, qui en est le midi, ses deux jambes lui suffisent ; quand il arrive au soir, c'est-à-dire à la vieillesse, il s'aide d'un bâton, son troisième soutien. Te voilà satisfait. Et maintenant, c'est toi qui m'appartiens !

Œdipe s'avance l'épée haute, mais déjà le Sphinx ouvre ses ailes dans toute leur ampleur, rugit, prend son élan du haut d'un rocher escarpé et va se briser le crâne au fond d'un précipice.

Les habitants de Thèbes ramènent Œdipe en triomphe. Créon n'a qu'une parole : Œdipe ceindra la couronne et sera le mari de Jocaste.

Ainsi fut réalisée la deuxième partie de la prédiction pythienne : Œdipe épousait sa mère !

Une fois accompli ce second crime abhorré des dieux, un fléau mystérieux s'abattit sur la contrée. Les hommes, les animaux dépérissaient ; les fruits de la terre desséchés ne produisaient plus rien. Ne sachant à quelle cause attribuer cette nouvelle calamité, Œdipe retourne vers l'oracle. « La mort de Laïus n'est pas encore vengée, explique la Pythie ; le désastre ne cessera que si le meurtrier est découvert et puni. »

Il faut à toutes forces chercher le misérable ; le sort de Thèbes en dépend, de Thèbes, dont Œdipe est désormais le souverain et le protecteur.

Le fameux devin Tirésias est convoqué. Il hésite à révéler l'affreuse vérité. Œdipe le presse, insiste, ordonne. L'effroyable secret est enfin dévoilé. « Le meurtrier, c'est lui-même ! » Il comprend alors que la femme qu'il a près de lui, la reine, n'est autre que celle qui l'a mis au monde !

À cette terrifiante découverte, Jocaste désespérée s'étrangle avec un lacet. Œdipe, honteux de profiter encore de la lumière du jour, saisit l'agrafe de son manteau et s'arrache les yeux.

2. ANTIGONE

Créon chasse de Thèbes le parricide comme indigne et criminel.

Partout repoussé, partout regardé avec horreur et mépris, le malheureux aveugle, sous la seule conduite de sa délicieuse fille, la douce et charitable Antigone, erre de ville en ville, arrive en Attique près de Colone et finit lamentablement sa triste vie sur le mont Cithéron, témoin des premières heures de sa naissance.

XXI

PAN

E l'ensemble des divinités secondaires se détache la physionomie originale, pittoresque et amusante du dieu *Pan*, toujours riant, sautant, dansant, chantant. À ses côtés satyres et faunes font chorus, mêlés parmi les nymphes qui gambadent en rondes au son de la flûte champêtre, à l'ombre des bois.

S'il avait un caractère agréable et charmeur, on n'en pouvait dire autant de son physique. « Oh ! qu'il est laid ! » étaient les premiers mots échappés en le voyant. Comment la nature l'avait-elle si mal partagé, son père étant Mercure et sa mère Dryope, la jolie nymphe d'Arcadie ? Mystère. Toujours est-il qu'il aurait eu tort de se comparer pour la joliesse à Vénus ou Apollon. Jamais grand nez n'a, dit-on, déparé beau visage. Or Pan n'avait des deux qu'un nez énorme et busqué, au-dessus d'une bouche lippue, proéminente et fendue jusqu'aux oreilles en un rictus sardonique. Ses oreilles pointues, de largeur

161

démesurée, dissimulaient mal la racine de deux cornes rugueuses rappelant celles du bélier et dominant la crêpelure d'une rousse toison capillaire. Une barbiche de bouc allongeait le visage. Quant au corps, il avait pour se soutenir d'énormes cuisses et pieds de chèvre. Son dos se terminait par une queue de bouc.

Son naturel jovial l'entraînait quelquefois, surtout la nuit, à effrayer bêtes et gens, par des courses inconsidérées et des apparitions subites derrière les arbres, au coin des bois, ou caché dans les sites déserts et sauvages. La peur, qui ne raisonne pas, lui attribuait l'effroi ressenti dans le noir, au bruit du vent dans le feuillage, à la chute d'une pierre sur les rochers. Ce sentiment se généralisa au point de l'en rendre responsable et d'appeler *terreur panique* la crainte éprouvée par les poltrons.

Cette tendance malicieuse ne doit pas faire oublier son courage à la chasse des bêtes fauves et dans les aventures lointaines. C'est ainsi qu'il suivit Bacchus jusqu'aux Indes. Le dieu du vin n'eut qu'à se louer de son aide précieuse. Il trouva de plus en ce compagnon un nouvel élément de gaieté rivalisant avec celle du bon Silène.

LA FLÛTE DE PAN

Au retour de ce long voyage, Pan regagne avec plaisir ses bois, ses campagnes et surtout ses nymphes. Plusieurs d'entre elles lui plaisaient et développèrent ses velléités matrimoniales. Par malchance, s'il possédait l'éloquence d'un séducteur, il en jouait difficilement le personnage. Ses douces paroles étaient accueillies par des rires moqueurs, ses instances provoquaient la fuite des belles. Il les poursuivait avec agilité, cherchant à les convaincre de sa sincérité et de sa tendresse. Il promettait d'être un bon et fidèle mari. Toutes lui échappaient, railleuses. Une seule, sa préférée, sur le point d'être rejointe, appela les naïades à son secours et plongea dans le fleuve Ladon, où elle disparut. Pan se précipite pour la tirer de l'onde. Au moment où il croyait l'avoir sauvée, ses bras ne pressent qu'une gerbe de roseaux agités par le vent et simulant de légers soupirs. Désespéré de voir s'évanouir la douce vie à deux qu'il avait rêvée, Pan détache sept roseaux, les taille d'inégale et graduelle longueur, les juxtapose en biseau, les fixe avec de la cire et forme la flûte. Il en tire des sons délicats et tendres remémorant la douce voix de l'inhumaine *Syrinx* et l'appelle de ce nom en souvenir de celle qui l'avait dédaigné et qu'il regrettera toute sa vie.

Pour se consoler d'un si grand malheur, Pan reprit dans la solitude la garde des prairies et des troupeaux. Il joua sans cesse de l'instrument qui lui rappelait sa bien-aimée Syrinx. Les bergers, ravis de l'entendre, devinrent ses adeptes en grand nombre. Le plus célèbre d'entre eux, Olympe, les dépassa tous par sa maîtrise et son incomparable virtuosité sur la *flûte de Pan*.

XXII

PSYCHÉ

SYCHÉ avait un père, une mère et deux sœurs aînées. De son père on ne connaît que sa qualité de roi. De quel pays ? on ne sait. De quel nom ? on l'ignore. Quant à sa mère, tout ce que l'on en peut dire c'est qu'elle était femme de roi, donc reine. Pour désigner ses sœurs, princesses comme elle, on serait fort embarrassé si l'on hésitait à s'en rapporter à Molière. Le grand poète comique les appelle Aglaure et Cidippe, noms ou prénoms pas bien élégants ; je vous les livre, m'abritant derrière la notoriété de l'illustre Poquelin.

Dans l'impossibilité de donner d'autres précisions sur la famille de Psyché, on obtient une importante et agréable compensation en ce qui concerne notre héroïne.

L'AMOUR ET PSYCHÉ

Psyché était fort jolie. Aucune créature humaine ou divine ne la surpassait pour la grâce et la beauté. De tous côtés on accourait pour l'admirer. Les fanatiques poussaient l'enthousiasme jusqu'à lui dresser des autels. Malgré la quantité et la qualité des adorateurs, aucun ne se hasardait à solliciter sa main. Aglaure et Cidippe avaient déjà quitté la maison paternelle aux bras de puissants seigneurs, et Psyché menaçait de rester fille. Elle était cependant en âge de convoler. Son père, désolé, s'imagine avoir encouru la colère céleste. Il interroge un devin célèbre par sa science et sa sagesse, Harpocrate, fils d'Isis et d'Osiris. Voici la réponse qu'il en reçoit :

Expose sur un roc cette fille adorée,
Pour un hymen de mort pompeusement parée.
N'espère point un gendre issu d'un sang mortel,
mais un affreux dragon, monstre horrible et cruel,
Qui, parcourant les airs de son aile rapide,
Porte en tous lieux la flamme et le fer homicide ;
Que craint Jupiter même et qui, l'effroi des dieux,
Fait reculer le Styx et les flots ténébreux.

Il est à supposer que Vénus n'était pas étrangère à la rédaction de cet arrêt cruel d'autant que, jalouse de sa rivale en beauté, elle avait chargé son fils Cupidon d'user de son pouvoir pour inspirer à l'odieuse mortelle une passion extravagante qui la rendrait malheureuse et ridicule.

Il fallut se soumettre à l'oracle ; les parents de Psyché, tout en larmes, conduisent la délicieuse créature sur une montagne isolée et l'abandonnent à son triste sort.

De son côté, Cupidon descend de l'Olympe pour

répondre au désir maternel. Il arrive à cette montagne et se prépare à tirer de son carquois la flèche qui perce les cœurs. Interdit à la vue d'une beauté sans seconde, il en subit l'ascendant, tourne le dard contre lui-même et se sent aussitôt troublé par la rivale de sa mère.

> Oui, c'est Éros lui-même
> Qui soupire d'amour.
> Celui par qui tout aime
> Aime donc à son tour [1] !

Il est même à ce point épris qu'il la veut pour épouse. Il ordonne à Zéphyr [2] de l'enlever dans les airs et de lui offrir comme demeure le plus magnifique palais qui se puisse rêver.

Psyché, doucement transportée et installée par Zéphyr, conformément aux prescriptions d'Éros-Cupidon, s'extasie devant les splendeurs prodiguées à ses yeux.

À la nuit tombante survient un être mystérieux. Sa voix est douce. Il murmure ces mots : « Ne crains rien, chère Psyché, c'est moi le maître de ce domaine, je te le donne comme présent de nos noces prochaines, car je veux être ton époux. Tout ce qui est ici, tout ce que tu vois, t'appartient. Exprime un désir, il sera exaucé. Zéphyr est à tes ordres. Tu n'as qu'à commander, tu seras obéie. Je n'exige de toi qu'une chose, en retour de mon affection, c'est de ne pas chercher à me voir. À cette seule condition, nous pourrons vivre heureux. »

L'aurore commence à poindre et l'être mystérieux disparaît sans que Psyché ait aperçu son visage.

---

1. *Psyché*, opéra-comique de Michel Carré et Auguste Barbier, musique d'Ambroise Thomas.
2. Zéphyr est un vent d'ouest, doux et agréable.

PSYCHÉ

Cupidon et Psyché.

Entrez dans la légende

— Quel moment précis de la légende est ici
   représenté ?
— Quel objet la jeune fille tient-elle dans sa
   main ?
— Décrivez le décor de la scène.

LE SAVIEZ-VOUS ?

Le mythe de Cupidon (son nom grec *Erôs*
signifie « amour ») et Psyché (« l'âme » en
grec) symbolise le destin de l'âme humaine qui,
après bien des épreuves, finit toujours par
trouver l'amour divin.

Rassurée, Psyché pense à ses sœurs et veut les faire participer à sa joie. Elle envoie Zéphyr les quérir. Aglaure et Cidippe ne se font pas prier. Elles n'ont qu'entrevu leur sœur cadette dans sa récente et magique demeure, et déjà la curiosité fait place en leur cœur à l'envie. Elles s'évertuent à tourmenter la chère enfant qui leur raconte ingénument la visite nocturne. Aglaure d'un côté, Cidippe de l'autre, c'est à laquelle inventera les pensées les plus lancinantes sur un ton mielleux et protecteur. « Que nous te plaignons, ma chère petite : tu es le jouet d'un affreux imposteur ; les somptuosités qu'il étale à tes yeux ne sont qu'un leurre ; il abuse de ta candeur et de ta naïveté.

Le véritable amour ne fait point de réserve ;
        Et qui s'obstine à se cacher,
Sent quelque chose en soi qu'on lui peut reprocher [1].

« Autrement craindrait-il de se montrer au grand jour ? Crois-nous ; ne sois pas la dupe de ses sortilèges. C'est un magicien, c'est un monstre, l'oracle l'a dit. Si nous te parlons ainsi, ma chérie, c'est par affection pour toi ; n'en doute pas, car tu sais combien nous t'aimons. Assure-toi que nous te disons la vérité pour t'empêcher de tomber dans un piège. Attends la nuit prochaine ; cache ta lampe, et, dès qu'il s'endormira, approche-la de son visage, et tu seras fixée sur son compte. Adieu, petite sœur, suis nos conseils bien persuadée que personne plus que nous ne souhaite pour toi joie et félicité. Embrasse-nous, et bon courage ! »

Après ce perfide baiser, Aglaure et Cidippe s'éloignent, satisfaites d'avoir jeté l'inquiétude dans l'esprit de Psyché.

---

1. Molière, *Psyché*, tragi-comédie, acte IV, scène II.

En effet, les trompeuses paroles de ses sœurs impressionnent vivement la jeune princesse. Elle brûle du désir de *savoir*. Confiante en l'expérience de ses aînées, elle observe de point en point leurs recommandations pernicieuses. Dès la tombée du jour, elle allume sa lampe, la dissimule derrière les fleurs et attend. Son époux ne tarde pas ; elle reconnaît son placide parler ; elle espère avec anxiété le moment du repos. Le voilà qui s'étend ; il s'endort. L'instant est favorable ; Psyché saisit la lampe, l'élève au-dessus de sa tête pour mieux voir et découvre un éphèbe aux joues roses, aux blonds cheveux, qui n'a rien de repoussant, bien au contraire. De sa respiration lente et régulière s'exhale une haleine suave et parfumée. Comment serait-il à craindre ? Il ne peut être méchant. Psyché ne saurait s'arracher à ce tableau délicieux. L'émotion la gagne ; sa main tremble ; la lampe vacille ; une goutte d'huile tombe sur le bras nu du dormeur qui s'éveille. Il aperçoit Psyché et... disparaît. Le charme est rompu. Plus de palais fastueux, plus de jardins magiques, plus de bocages odoriférants ; plus rien, plus personne !

Seul un roc sauvage sur lequel se lamente l'infortuné Psyché, rongée de regrets et de remords. Fâcheuse curiosité ! Que de larmes impuissantes tu fais couler de trop jolis yeux !

Vénus est radieuse, mais Cupidon, désolé, avait déjà regagné l'Olympe. Il conjure Jupiter de lui rendre son épouse chérie. Jupin proteste mollement :

— Le Dieu de l'Amour ne peut s'unir à une mortelle.

— N'êtes-vous pas tout-puissant pour immortaliser ?

Le maître des dieux, flatté, sourit dans sa barbe majestueuse. Aussi bien, peut-il opposer un refus au petit dieu d'amour, qui lui rappelle de si bons souvenirs ? Son aide fut plusieurs fois propice et agréable ; peut-être aura-t-il encore l'occasion de recourir à ses bons offices. La prudence l'incite à ne pas se montrer trop rigoureux. Que Mercure remplace Zéphyr auprès de Psyché et ramène dans l'empire céleste l'élue de l'irrésistible Cupidon. Il lui versera dans la coupe divine l'enivrante ambroisie qui rend immortelle et ornera ses blanches épaules de mignonnes ailes de papillon.

Rien ne s'opposera plus à l'union de l'*Amour* et de *Psyché*. Ainsi fut fait. Le mariage est solennellement célébré, en présence de tous les dieux qui dégustent le nectar, pendant que Muses et Grâces acclament la nouvelle divinité au milieu des danses et des chants de l'hyménée.

XXIII

PERSÉE

 N vous parlant de Danaé [1], je vous ai dit que son père, Acrise, roi d'Argos, redoutait qu'elle devînt mère, l'oracle l'ayant averti qu'il serait détrôné et tué par son petit-fils. Aussi, dès que Danaé mit au monde Persée, Acrise s'empressa d'embarquer la mère et l'enfant et de les confier au hasard des flots mouvants. Les vents poussèrent l'esquif du côté des îles Cyclades, où le roi de Sériphe, Polydecte, les recueillit tous deux. Danaé lui plut, il s'occupa du fils, l'éleva jusqu'à l'âge d'adolescent. Persée, ayant conscience de sa force et de sa valeur, entreprit de courir le monde à l'instar des héros fabuleux, d'affronter des œuvres périlleuses et de se distinguer par de brillants combats.

---

1. Voir chapitre VII, 2, p. 35.

1. LA GORGONE MÉDUSE

Avant de partir, Persée, voulant remercier Polydecte de son hospitalité et des soins dont il avait été
l'objet pendant son séjour dans l'île de Sériphe, lui
demanda ce qu'il pourrait bien faire pour lui exprimer sa reconnaissance. Le roi réclama la tête de
Méduse, la plus terrible des trois Gorgones qui déso-
laient les campagnes et jetaient la terreur sur les passants inconsidérément égarés dans leurs parages. La
tâche était rude, Persée, déjà prudent, se fit équiper
confortablement par les divinités secourables aux
héros. Minerve lui donna son bouclier et son miroir.
Pluton le coiffa d'un casque qui rend invisible et Mercure lui confia ailes et talonnières [1]. Le fils de
Danaé n'a plus qu'à se rendre aux confins du monde
occidental où résident les dangereuses Gorgones qu'il
s'agit de découvrir. Dans cette direction, il est nécessaire de traverser d'abord une vaste région déserti-
que jalousement surveillée et gardée par trois vieilles
filles, Péphédro, Enyo et Dino. Ce sont les Grées [2],
dotées, dès leur naissance, d'une singulière anatomie.
Elles ne possèdent, à elles trois, qu'un seul œil et
qu'une seule dent, qu'elles se passent tour à tour, au
mieux des intérêts de leur vigilance. Nul autre qu'elles
ne connaît la retraite des farouches Gorgones, et
notamment de la plus redoutable, de Méduse.
Comment atteindre ces volages Grées, toujours en
mouvement ? Comment leur arracher le secret de l'iti-
néraire à suivre ? Le rusé Mercure va, cette fois
encore, venir à l'aide de l'audacieux Persée. Le

1. Ailes fixées aux talons.
2. Leur nom signifie « les vieilles femmes » en grec.

messager des dieux guette le va-et-vient des trois vierges aux cheveux blancs, observe leur manège, et, quand l'œil unique et la dent solitaire changent de propriétaire, il les happe au passage et les confie à Persée. Que n'obtiendrait-on pas, nanti d'un pareil gage ? Elles ne peuvent pas pleurer, puisqu'elles n'ont plus même un œil pour verser des larmes. Elles ne se lamentent pas moins en poussant des cris affreux et réclament cet œil et cette dent, sans lesquels la vie leur est insoutenable. Les voilà prêtes à toutes les concessions. Donnant, donnant. Persée leur restitue œil et dent ; la route lui est ouverte en échange. Il arrive à la caverne où reposent les trois Gorgones ; il n'a pas de peine à reconnaître Méduse, la plus grande, la plus laide. On ne voit pas ses yeux, puisqu'elle dort. Mais sa bouche ouverte, — si on peut l'appeler bouche —, laisse passer des crocs longs et pointus d'un fort mauvais augure. Sa chevelure se compose d'un amas de serpents entrelacés qui, pour le moment, sommeillent sur son front hideux. Persée ne se laisse pas intimider. Il avance à reculons, se servant du miroir pour se diriger et ne pas subir le regard de Méduse, si par hasard elle s'éveillait ; autrement, il serait pétrifié. Il n'ignore pas, en effet, que les yeux de la Gorgone possèdent le dangereux privilège de convertir en rocher tout être vivant qui aurait l'audace de soutenir sa vue. L'intrépide héros brandit un glaive invincible, et, d'un seul coup, décapite le monstre qu'il était venu chercher de si loin. Des flots de sang qui s'écoulent s'échappe un cheval aux ailes puissantes, Pégase. Persée met dans un sac la tête de Méduse, enfourche Pégase et s'enfuit dans les airs pour échapper aux deux autres sœurs brusquement réveillées et prêtes à la vengeance.

2. ANDROMÈDE

Après cette première et brillante réussite, Persée regagne les pays d'Orient et vient goûter un repos bien mérité dans le royaume d'Éthiopie. Le souverain Céphée, et Cassiope sa belle épouse, avaient une fille, Andromède, plus belle encore que sa mère. Toutes deux émirent la prétention d'être supérieures en beauté aux Néréides et même à l'altière Junon. Elles joignaient l'orgueil à l'imprudence. Les filles de Nérée et Junon, la reine des dieux, portèrent tout naturellement leurs plaintes à l'omnipotent maître de la mer. Neptune, courroucé de l'outrecuidance de ces petites princesses d'Éthiopie, couvrit leurs plaines verdoyantes de flots écumants qui détruisirent fruits et récoltes. Quant aux bestiaux et aux humains, ils servaient de pâture à un monstre marin louvoyant sans cesse non loin des bords. Suivant la coutume de l'époque, Céphée s'en va trouver l'oracle.

— Que faut-il faire pour conjurer le péril ?

— Pour expier l'orgueil de ta femme et de ta fille, enchaîne Andromède sur un rocher, et le monstre se chargera du châtiment justement réclamé.

Persée voit la belle Andromède attachée avec des liens de fer sur un récif battu des vagues furieuses. Les pleurs de l'infortunée ajoutent encore à ses charmes. Persée est ému de son malheur. À la pitié se joint sans doute un sentiment plus tendre, et, quand il entrevoit au loin les ondes soulevées par le dos monstrueux de l'animal, il s'empare d'un javelot acéré, monte sur Pégase aux fortes ailes, s'élève au-dessus de la mer, et, à l'instant même où le monstre ouvre une gueule sanguinolente prête à saisir la vierge délicate, il s'élance et le frappe d'un coup mortel dont rougissent les flots qui ne ballottent plus qu'un cadavre.

Andromède délivrée tombe dans les bras de son sauveur et, ramenée à ses parents, devient l'épouse de Persée.

Un banquet somptueux termine ce tragique épisode. On ne dit point que Junon et les Néréides y furent conviées. La chose est peu probable.

Quand la lune de miel eut lancé ses derniers rayons, Persée songe à la promesse faite à son père adoptif de lui rapporter la tête de Méduse. Il regagne donc l'île de Sériphe, heureux de revoir et d'embrasser sa mère. Qu'apprend-il ? Danaé, retirée dans un temple, fuit les obsessions de Polydecte auquel elle refuse sa main. Persée pense calmer le roi de Sériphe. Il est violemment accueilli. Polydecte même l'outrage, doute de sa victoire et lui conteste la défaite de Méduse. Hors de lui, le fils de Danaé tire de son sac la tête de la Gorgone et soudain Polydecte n'est plus qu'un bloc de pierre.

Persée n'a plus que faire des dons reçus des divinités secourables. Il restitue à Mercure les ailes, à Minerve le bouclier, au milieu duquel figurera désormais la figure de la pétrifiante Méduse.

Désireux d'habiter Argos en famille, il s'y rend avec Andromède et Danaé. Au lieu de le recevoir à bras ouverts, Acrise, hanté par la parole de l'oracle, quitte précipitamment l'Achaïe pour échapper aux coups de son petit-fils. Celui-ci rejoint son aïeul à Larissa, à l'époque des jeux. Dissimulé parmi les concurrents, il lance son disque avec force, et la fatalité détourne de son but la masse de plomb qui s'abat sur la tête d'Acrise et le tue. La fatalité, c'est encore le Destin qui lui dicte sa volonté. Pénétré de douleur, Persée ne veut plus du trône d'Argos, se contente de Tirynthe et meurt en léguant à l'admiration des races futures le souvenir de ses hauts faits.

PERSÉE

Persée et Andromède.

Entrez dans la légende

— Quel est l'animal chevauché par Persée ? Comment s'appelle-t-il ?
— Pourquoi le bouclier du héros porte-t-il l'emblème de la chouette ?
— Décrivez le monstre.

XXIV

JASON

ANS la province de Thessalie, régnait à Iolchos un prince doux et débonnaire, Éson, époux d'Alcimède. Il en eut plusieurs enfants, dont *Jason*, le plus jeune.

Le frère cadet d'Éson, Pélias, ambitieux et sans scrupules, détrôna son aîné, le chassa du pays et, craignant dans l'avenir le ressentiment de ses neveux, les fit massacrer. Un seul échappa, Jason, que sa mère Alcimède parvint à sauver en le mettant sous la garde du Centaure Chiron qui habitait non loin de là sur le mont Pélion. Chiron se distinguait par sa science et ses qualités d'éducateur. Jason sut en profiter pendant les vingt années qu'il resta son élève.

Éson regrettait le pouvoir royal, sinon pour lui-même, du moins pour Jason, héritier légitime du trône de Iolchos. Il lui conseilla, lorsqu'il fut en âge, de réclamer à son oncle Pélias la place qui lui revenait de droit et que celui-ci détenait indûment. Surpris de cette requête, qu'il ne savait que trop justifiée,

Pélias voulut gagner du temps et chercha le moyen de se débarrasser de Jason, comme il avait fait de ses autres neveux : « Je suis prêt à te restituer le sceptre et les biens de ton père. Mais tu es jeune encore. Dans ton intérêt, il faudrait te distinguer par une action d'éclat. Par exemple, conquérir la *Toison d'Or*. Alors tu reviendras, et je m'empresserai de poser la couronne sur ton front glorieux. » Le traître Pélias espérait bien que Jason ne réussirait pas et serait la proie du dragon préposé à la défense de la somptueuse Toison.

1. LA TOISON D'OR

Ouvrons ici une parenthèse. On parle souvent de la *Toison d'Or* ; on y fait de fréquentes allusions. Peut-être serez-vous aises d'en connaître l'origine. C'est une petite et courte histoire qui vient se greffer sur la grande.

Dans les temps anciens, très anciens, bien avant Éson, régnaient à Iolchos Chrétée et sa femme Démodice. Chassés par les mauvais traitements d'une marâtre, leurs neveu et nièce, Phrixus et sa sœur Hellé, se réfugièrent auprès d'eux. Chrétée reçut amicalement les enfants de son frère. Mais la reine Démodice, qui avait de mauvais instincts, prétendit que Phrixus se comportait mal à son égard. Une peste ravageait à ce moment le pays. L'oracle, auquel on s'adresse toujours dans les circonstances critiques, répondit que les dieux s'apaiseraient par l'immolation des derniers descendants de la maison royale. Phrixus et Hellé se trouvaient tout indiqués ; le couteau du sacrificateur allait remplir son office quand une nue épaisse enveloppe les victimes désignées ; un bélier magnifique les transporte dans les airs vers la

Jason et la Toison d'or.

Entrez dans la légende

— Qui accompagne Jason ?
— Que tient ce personnage à la main ? Pour-
quoi ?
— Que défend le dragon ?

Colchide, province de l'Asie Mineure, située à l'est du Pont-Euxin (mer Noire) et arrosée par le Phase. Effrayée du bruit des flots et paralysée par le vertige, Hellé tombe et se noie dans l'Hellespont [1] (détroit des Dardanelles). Phrixus et son bélier continuent leur chemin. Dès qu'il eut mis le pied sur la terre, Phrixus n'a rien de plus pressé que d'offrir en holocauste le bélier, son sauveur, à Jupiter. Il sacrifie l'animal cornu, garde la toison qui était d'or et la suspend à l'arbre d'une forêt consacrée à Mars. Un dragon vigilant dévorera tous ceux qui seraient tentés de la soustraire.

Jupiter fut tellement satisfait de ce sacrifice qu'il garantit le bonheur et l'abondance à ceux qui posséderaient la *Toison d'Or*. Il était cependant permis d'en essayer la conquête. Le tout était de réussir. C'est à cette obligation que Jason devait se conformer.

Nous voici revenus à notre sujet principal ; fermons la parenthèse, et voyons comment s'y prit le fils d'Éson et d'Alcimède.

2. LES ARGONAUTES

Jason ne disposait point de moyens surnaturels pour mener à bien l'entreprise. Pas de Pégase, pas de bélier, pas d'ailes au front ni aux talons ; seules les ressources humaines ordinaires ; il se résigne avec courage et obstination.

L'union fait la force. Il convoque d'intrépides auxiliaires ; une cinquantaine des plus fameux répondent à son appel. On compte dans le nombre, pour ne citer que les principaux, Castor et Pollux, fils de Jupiter

---

1. Son nom signifie littéralement « mer d'Hellé » en grec.

et frères de la belle Hélène ; Hercule, autre fils de Jupiter, dont il est superflu de rappeler les *Travaux* ; Tiphys, pilote habile entre tous au point qu'on lui donnait pour père Neptune, le dieu des eaux ; Lyncée, dont la vue pénétrait jusqu'au fond de la mer et jusqu'au bout de l'horizon ; tant d'autres encore, sans omettre Orphée, le charmeur. Aux sons de sa lyre enchanteresse, on oubliait la longueur et la monotonie d'une pénible navigation.

Il faut un chef. Jason est nommé d'enthousiasme. On construit un navire ; des bois rigides et de choix sont employés ; le plus imposant chêne de la forêt de Dodone devient le grand mât de l'*Argo*, nom sous lequel voguera le navire, d'après le mot grec *argos* (blanc, brillant, rapide), la solide voilure est tissée par Minerve qui préside à son montage ; les nautoniers de l'*Argo* s'appellent *Argonautes*.

On s'embarque au cap de Magnésie. Les vents soufflent du bon côté ; on lève l'ancre et l'on fait voile dans la direction de la Colchide.

Après une escale à Lemnos, les navigateurs abordent l'île de Samothrace, où le roi Phinée, fils d'Agénor, donne aux pilotes Tiphys et Lyncée de précieux avis pour éviter les récifs et les courants dans la traversée de l'Hellespont et de la Propontide. Grâce à ces indispensables précisions, l'*Argo* franchit les obstacles sans difficulté et débarque ses passagers dans la baie de Colchide. Jason se hâte de visiter le roi Eétès, fils du Soleil et de Perséis, et l'informe du but de son voyage.

Eétès entend conserver la Toison d'Or à laquelle le pays doit sa prospérité. Il ne saurait cependant s'opposer à ce qu'un étranger tente de se l'approprier : les dieux l'ont permis. Mais Jason devra dompter deux taureaux sauvages, aux onglons et aux cornes d'airain ; il leur imposera le joug, les attellera à une charrue de diamant et labourera la terre inculte ; les sillons tracés devront recevoir comme semence des dents de serpent ; en guise de moissons surgiront des géants armés ; il faudra les tuer tous sans exception. Alors, mais alors seulement, il sera loisible à Jason d'approcher de la Toison d'Or, à une dernière condition, c'est qu'il se soit acquitté des tâches ci-dessus énumérées dans l'espace d'une journée.

L'énoncé d'épreuves aussi intéressantes que variées interdit légèrement le chef des Argonautes. Il ne s'attendait pas à si bonne mesure, et prend congé d'Eétès, non sans le remercier de l'avoir amplement documenté.

Jason cherche à se tirer de ce pas hasardeux. Pendant qu'il errait sur le rivage, le front soucieux et l'air méditatif, vient à lui Médée, la fille du roi, à l'aspect imposant.

Sans vain préambule, Médée lui déclare la sympathie que lui inspire son embarras ; elle approuve sa hardiesse et s'offre à lui donner les moyens de réaliser ses projets au-delà de toute espérance.

Sachez d'abord qu'en cette contrée de Colchide poussaient dans des endroits cachés certaines herbes rares possédant la propriété des maléfices et des enchantements.

Médée les connaissait, ces herbes magiques ; elle avait pénétré le secret de leur efficacité et le révélerait à Jason. En retour, après sa victoire certaine, Jason l'emmènerait avec lui sur l'*Argo* et l'épouserait. Médée n'était pas de ces magiciennes vieilles et sans dents, horribles à voir. Loin de là. La fille d'Eétès était jeune, jolie, de haute stature ; une épaisse chevelure d'un roux vif et soyeux encadrait son frais visage, aux yeux énigmatiques et perçants. La souplesse de sa démarche, la dignité de son maintien, tout en elle pouvait séduire. Jason n'eut donc aucune peine à accepter les herbes et la femme. Il reçoit les plantes enchantées, en apprend l'usage, et patiemment attend le lendemain.

L'aurore a déjà fait pâlir les étoiles, quand les taureaux aux pieds d'airain sortent en mugissant de l'étable. Leurs naseaux soufflent du feu. Jason, le corps enduit d'un baume de la magicienne, ne ressent aucune brûlure. Il s'empare des taureaux, les soumet au joug, les attelle. Le sol rude et pierreux subit le soc de la charrue diamantée : les sillons sont creusés ; les dents de serpent s'y encastrent ; les géants sortent de terre couverts d'une sombre armure. Rien n'arrête Jason ; rien ne l'effraie ; rien ne l'intimide.

Médée cependant, bien qu'elle connaisse le pouvoir de ses sortilèges, ne peut s'empêcher de trembler devant l'audace et l'impassibilité du héros. La sympathie s'accroît avec l'admiration. L'inquiétude n'en est que plus vive ; elle appelle à son secours tous les secrets de son art. Cela n'est déjà plus nécessaire.

Jason lance une grosse pierre au milieu des Géants. La pierre ensorcelée les force à se tourner les uns contre les autres ; ils s'entre-tuent jusqu'au dernier ; et le char du Soleil n'a pas encore achevé sa course quotidienne !

Jason en profite pour attaquer le dragon, dernier obstacle qui le sépare de la Toison d'Or. L'œil jaune du monstre brille aux derniers feux du jour ; ses formidables crocs grincent dans sa gueule béante armée de trois dards aigus ; ses griffes acérées grattent le sol ; il va s'élancer quand sur son dos squameux s'épandent des herbes soporifiques prévues par Médée ; l'assoupissement gagne le monstre ; les plantes de Morphée [1] l'engourdissent dans le sommeil ;

---

1. Dieu ailé du sommeil.

l'animal inerte ne donne plus signe de vie. Jason n'a qu'à saisir la dépouille du bélier. La Toison d'Or lui appartient !

3. MÉDÉE

Fier de sa conquête et plus encore de celle dont il reconnaît l'empire, Jason rejoint avec Médée ses compagnons joyeux. Médée n'emportait avec soi qu'une minime cassette en or. On regagne rapidement le port d'Iolchos. Jason embrasse son vieux père et lui présente sa bienfaitrice et fiancée.

Les parents et amis des Argonautes célèbrent leur retour par des fêtes somptueuses. Éson, affaibli par son grand âge, n'y assistait pas. Jason, attristé de l'absence du vieillard, demande à Médée d'user de son pouvoir magique pour lui rendre sa prime jeunesse ; il offre de partager les jours qui lui restent à vivre pour prolonger les siens. Médée se met à l'œuvre. Elle invoque la Nuit fidèle à ses secrets et la triple Hécate[1], confidente de ses entreprises. Forte de leur concours, elle tire de sa précieuse cassette rapportée de Colchide des philtres inconnus et des sucs merveilleux. Elle ouvre avec une fine lame d'acier la gorge du vieil Éson, en fait sortir le sang sénile qu'elle remplace par ces sucs transfuseurs de force et de jeunesse. Éson rénové ne se reconnaît plus lui-même et se revoit tel qu'il était quarante ans en arrière.

Plein de reconnaissance, il exprime en termes émus sa gratitude à Médée et lui conte l'origine de son

---

1. Figure nocturne et souvent maléfique liée à la déesse Diane.

expulsion par Pélias. Autrement, précise-t-il, Jason serait roi et son épouse serait la reine.

À ce récit, les instincts ambitieux se réveillent dans le cœur de Médée qui projette une terrible punition de l'usurpateur. Pélias a vieilli à son tour. Il a deux filles charmantes qu'il adore et dont il est aimé. Médée circonvient les naïves enfants, leur vante le rajeunissement d'Éson obtenu par son art, les persuade qu'elle en ferait autant pour leur père si elles veulent bien la seconder de leurs mains délicates.

Les filles de Pélias, pauvres innocentes, se laissent convaincre : elles revoient déjà par la pensée leur père rajeuni comme le fut le père de Jason. Elles prennent la lame effilée et tranchante et percent la gorge de Pélias pendant son sommeil. Le sang s'écoule lentement comme il a fait pour Éson ; mais la traîtresse Médée n'infuse pas le même philtre ; elle y substitue un baume empoisonné qui met fin aux jours de Pélias, expirant au milieu d'atroces souffrances, en présence de ses filles abominablement trompées.

Jason s'assoit sur le trône d'Iolchos ; Médée, à ses côtés, jouit du résultat de ses audacieux et perfides maléfices. Elle est reine !

Mais rien n'est éternel en ce bas monde. Le cœur des hommes, voire celui des héros, est volage. Médée s'en aperçoit quand Jason veut choisir une nouvelle épouse en la personne de Créuse, fille de Créon, roi de Corinthe. Comme bien vous pensez, Médée n'est pas femme à laisser passer sous silence une semblable injure. Elle admire le courage et l'héroïsme, mais ne pardonne pas l'infidélité. Malheur aux enfants que le traître lui a donnés ! Malheur à la rivale qu'il ose lui préférer !

Avant la consommation du mariage, Médée envoie sournoisement à Créuse une éblouissante robe nuptiale qu'elle a pernicieusement enduite de sucs mortels enfermés dans la fameuse cassette de Colchide.

La fille de Créon n'a pas plutôt vu la splendide parure que la coquetterie native l'engage à s'en revêtir. Des flammes s'échappent aussitôt : Créuse est brûlée vive dans son palais.

Non contente de cette horrible exécution, Médée, épouse implacable et mère dénaturée, n'estime pas sa vengeance suffisamment assouvie. Par un raffinement de cruauté, elle égorge les deux fils de Jason, ses propres enfants à elle-même, remonte sur son char attelé de dragons aux ailes noires, presse leur vol et disparaît, non sans avoir averti son déloyal époux qu'elle chargeait le navire *Argo* de parfaire sur lui les effets de son ressentiment.

Jason, désabusé de la vie, inconsolable de tous les malheurs accumulés sur sa tête, retraçait dans son souvenir la mémorable expédition de Colchide. Il se représentait le cher navire aux voiles déployées ; voulant le revoir une dernière fois, il le trouve sur le rivage vieux et délabré. Il y entre, mais n'en sortira pas. Une poutre détachée le renverse et lui brise le crâne.

Ainsi finit le conquérant de la Toison d'Or.

Ainsi fut réalisée la menace de la magicienne Médée.

XXV

PÂRIS

DÈS avant sa naissance, Pâris eut le triste privilège d'une fatale prédiction.

Son père, Priam, roi de Troie, et sa mère, Hécube, furent avertis que leur fils serait cause de la ruine de la patrie. Priam, partisan des précautions préventives, enjoignit à son confident Archélaüs de supprimer le nouveau-né, sans plus attendre. Hécube ne protesta pas ouvertement. Mais une mère peut-elle accepter d'un cœur léger la mort de son enfant, et donner la préférence à des motifs de raison, de politique, ou de dynastie ?

Hécube ne fit pas exception à la règle. Elle suit l'exécuteur des hautes œuvres souveraines, arrive à le circonvenir et obtient que le petit Pâris soit abandonné à des bergers du mont Ida. Archélaüs, docile aux ordres de la reine, rapporte un enfant mort à Priam qui, rassuré, le félicite de s'être acquitté d'une délicate mission avec une aussi ponctuelle exactitude.

Pâris grandit au milieu des bœufs, des génisses et

des moutons dans la vivifiante atmosphère d'une luxuriante forêt. Il se livre en même temps à tous les exercices du corps qui l'ennoblissent et le fortifient. Il devient ainsi le plus vigoureux et le plus accompli des adolescents. La renommée de son adresse et de sa sculpturale beauté parvint jusqu'à l'Olympe et servit le roi des hommes et des dieux dans une assez embarrassante occurrence.

Jamais noces ne furent plus splendides que celles de Thétis et de Pélée. Les divinités, grandes et petites, supérieures et modestes, y assistent. L'Olympe tout entier est représenté. Les dieux de l'Enfer, de la Terre et des Eaux ne sont pas oubliés, à part la Discorde qui ne fut pas conviée, intentionnellement. On craignait que sa présence ne troublât l'harmonie et la cordialité de la fête.

Vexée d'avoir été volontairement omise, elle résolut de se venger, et d'apporter, même absente, un élément de discussion parmi les membres de l'auguste assemblée.

Sa connaissance de la coquetterie féminine, à laquelle n'échappent pas les plus austères déesses, lui inspira l'idée de jeter sur la table entourée de convives une pomme d'or portant l'inscription : À LA PLUS BELLE !

Ce qu'elle avait prévu arriva. Toutes sans exception se précipitent et tentent de saisir ce fruit qui vaut une couronne : le prix de la beauté. La rivalité prend un caractère aigu et dégénère en dispute. Qu'en serait-il advenu sans la haute intervention de Jupiter ? Le maître des dieux s'interpose ; il écarte les concurrentes, sauf trois, Junon, Minerve et Vénus, qu'il engage personnellement à se mettre d'accord par de mutuelles concessions. Naïve illusion d'un si puissant seigneur ! Il ne peut les départager. En désignant l'une, on s'aliène les deux autres. Cruelle perplexité !

1. LE JUGEMENT DE PÂRIS

Par bonheur, le rusé Mercure, fidèle messager et bon conseiller, souffle à Jupiter d'échapper à la responsabilité du choix et de s'en remettre au jugement d'un jeune et beau berger qu'il connaît de longue date.

Élevé dans l'innocence de la vie pastorale, ignorant l'influence délétère [1] des cours et des grandeurs, ne connaissant que la justice, Pâris prononcera et Jupiter ne courra nul risque d'être compromis. Cette ingénieuse proposition séduit le souverain Maître qui remet la pomme à Mercure en le chargeant de conduire Junon, Minerve et Vénus sur le mont Ida où s'érigera le tribunal de Pâris.

Ils partent tous les quatre par une délicieuse matinée de printemps.

Pâris, assis au pied d'un hêtre, garde ses blancs moutons en jouant du chalumeau.

Mercure présente les compétitrices, sans indiquer leur personnalité pour ne pas influencer le verdict ; il remet la pomme d'or à Pâris, en lui disant simplement : *Pour la plus belle !*

Le joli pâtre s'arrête, interdit, à la vue des trois déesses, et confus du rôle qu'on lui assigne. Jamais pareil spectacle n'avait frappé ses regards. Son émotion s'accroît lorsque chacune s'évertue à capter son suffrage.

Junon, descendue de son char traîné par deux paons, se présente la première. Elle apparaît comme une véritable déesse, le front haut, l'air fier, dans tout

---

1. Nuisible et corruptrice.

Le Jugement de Pâris.

Entrez dans la légende

— Qui sont les trois personnages féminins ? À quoi les reconnaissez-vous ?
— Qui est le personnage masculin aux côtés de Pâris ? Quelle est sa fonction ?
— Décrivez le vêtement et l'attitude de Pâris.

LE SAVIEZ-VOUS ?

L'expression moderne « pomme de discorde » désigne un motif de dispute par allusion à la pomme d'or, cadeau « empoisonné » de la déesse de la Discorde (*Éris* en grec) et enjeu du prix de beauté que convoitent les déesses.

l'éclat d'une splendeur souveraine. Pâris, impressionné, tend déjà la pomme d'or, lorsque Minerve arrive en son costume guerrier ; le visage calme et triomphant reflète la sagesse et la victoire. Le fils de Priam hésite. Dans le doute, il est sur le point de couper la pomme en deux, et d'en offrir à chacune la moitié, quand Vénus accourt souriante, sans apprêt d'aucune sorte. Son opulente chevelure blonde et dorée des rayons du soleil lui sert d'unique parure. La douceur de ses yeux et la grâce de sa personne suffisent à déterminer le juge Pâris. La pomme d'or est décernée à Vénus, incontestable déesse de la beauté.

2. LA BELLE HÉLÈNE

Après avoir été l'interprète et le représentant de Thémis [1], Pâris fut un peu plus tard chargé d'une mission délicate et diplomatique.

On le choisit pour aller, en qualité d'ambassadeur, à Sparte, réclamer sa tante Hésione, emmenée par Télamon, roi de Salamine. Pâris se rend auprès de Ménélas, le souverain de Sparte, lui expose sa requête, et se trouve en présence d'Hélène, l'épouse du roi grec. L'ancien pâtre du mont Ida croyait connaître les plus belles créatures du monde. Il n'avait pas encore vu la femme de Ménélas [2] ! Cette apparition éblouissante lui fait négliger le but de son voyage. Subjugué par l'incomparable belle Hélène, il la séduit à son tour, et, d'un commun accord, empruntant le

---

1. Personnification de la Justice.
2. Hélène est en fait le cadeau que Vénus a offert à Pâris pour obtenir son suffrage lors du concours de beauté : elle est considérée comme la plus belle femme du monde.

vaisseau même qui avait amené Pâris, tous deux regagnent ensemble la Troade.

Les Grecs ne sauraient supporter l'outrage fait au roi Ménélas et rejaillissant sur eux. Ils se réunissent autour de leurs vaillants chefs, vont mettre le siège devant la ville de Troie, y restent pendant dix années au bout desquelles ils s'en rendent maîtres. Troie saccagée est mise en flammes. On ne pourra nier que Pâris « causa la ruine de sa patrie ». Rappelez-vous la prédiction faite à sa naissance.

XXVI

IPHIGÉNIE

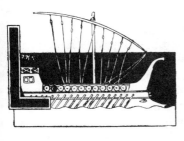 A mer est calme, pas un souffle d'air, les voiles pendent inertes le long des mâts ; les avirons énergiquement actionnés par les rameurs n'arrivent pas à vaincre le flux du courant contraire qui retient les vaisseaux dans le port. La flotte est immobilisée ; les Grecs cependant ont hâte de partir et de voler à de glorieux combats.

À leur tête, Agamemnon, le roi des rois, frémit de son inaction forcée. Voilà trois mois que la placidité des vents et des flots imposent l'inertie à son impatience et à son courage. Qu'a-t-il donc de si pressé à vaincre, à conquérir ou à châtier ? Où donc lui faut-il voguer au-delà des mers ? Pourquoi ne pas docilement attendre que Neptune et les zéphyrs se mettent à l'unisson pour faciliter une navigation favorable ? Si les fils de l'Hellade ne peuvent temporiser davantage, s'ils brûlent de gagner les côtes de l'Asie Mineure, c'est qu'il leur faut atteindre la ville de

Priam. Il leur tarde de cingler vers Troie qui donne asile au ravisseur d'Hélène, la femme du roi Ménélas. Leur honneur est engagé, la punition doit être exemplaire, la vengeance éclatante. Chaque jour de retard les accuse de crainte et de pusillanimité. Ils ont donc peur, ou doutent de la victoire ? Leurs cœurs généreux ne peuvent supporter une pareille supposition. Mais comment échapper au mépris des Troyens si les dieux s'opposent à leur départ ?

Il est opportun de mander Calchas et de l'interroger. Calchas, le devin renommé, Calchas, confident des secrets célestes ; Calchas, par qui les divinités transmettent leurs immuables décrets ; Calchas paraît devant le roi des rois qui lui fait part de son trouble et de son angoisse.

Sans hésiter, l'infaillible devin proclame : « Ô grand Agamemnon ! l'entreprise que vous projetez sera longue et difficile. Vous finirez par triompher au bout de dix années de luttes continuelles et d'efforts soutenus. Diane exige un sacrifice pénible, mais indispensable. Iphigénie, votre fille, doit être immolée sur son autel. Les vents deviendront alors favorables et vous pourrez commencer le siège de Troie. »

Agamemnon n'a pas plus tôt entendu qu'il fond en larmes. Son cœur de père n'est plus à la hauteur de son âme héroïque. Il supplie Calchas ; il invoque sa science de l'avenir. Comment peut-il exiger que lui-même soit le propre sacrificateur de son enfant adorée ? Ses pleurs et ses doléances laissent insensible l'interprète de l'oracle qui, tout en compatissant au chagrin du père, répète avec force au roi des rois : « Ainsi le veut la Destinée ! »

Agamemnon ne peut se résigner. Il cherche un subterfuge pour écarter Iphigénie du péril. Elle est en ce moment auprès de sa mère, éloignée d'Aulis, où s'est concentrée l'armée grecque. Il leur envoie un message pour les dissuader de venir le rejoindre, la place des femmes n'est pas dans le camp des guerriers. L'esclave chargé des tablettes est arrêté par Ménélas et le message intercepté. Le mari d'Hélène demande compte à Agamemnon de sa conduite et l'apostrophe avec rudesse. Qu'espère-t-il ? A-t-il la prétention d'en imposer aux dieux ? De quelle ruse grossière veut-il se servir pour humilier la Grèce et couvrir de honte le nom glorieux de sa race ? Agamemnon garde le silence : des larmes amères coulent le long de ses joues ; la pitié pour sa fille si bonne, si douce ne saurait faiblir et s'incliner devant son respect et sa piété pour la divinité.

Entre-temps, Clytemnestre, qui n'avait reçu aucun avis, ramenait Iphigénie joyeuse à la pensée de retrouver et d'embrasser son père.

Cependant, la nouvelle propagée par Ménélas s'est promptement répandue dans tout le camp. Les guerriers s'agitent ; ils s'expliquent à présent les motifs qui s'opposent au départ. Agamemnon ne peut plus échapper au redoutable destin. Le Ciel fait la loi. Dans une dernière tentative pour sauver sa fille, Clytemnestre implore le bouillant Achille ; elle le conjure à mains jointes d'user de son influence sur les guerriers, d'intercéder encore auprès de Calchas.

Iphigénie pressent alors la vérité. Son amour filial impose à son père de se soumettre ; son amour de la patrie la conduira sans crainte à l'autel du sacrifice. Sa mort sera féconde. Elle engendrera la gloire immortelle de sa famille et celle de son pays.

D'un pas ferme et résolu, la vierge intrépide, désignée par les dieux, se dirige vers Calchas. La pompe du sacrifice est prête : les libations commencent ; la victime parée pour l'holocauste avance vers l'autel et s'abandonne au grand prêtre. Dans l'instant qu'on va l'égorger, une nuée épaisse entoure les assistants et dérobe entièrement la vue. La brume se dissipe peu à peu ; bientôt renaît la clarté lumineuse. Que voit-on sous le couteau du sacrificateur ? Une biche substituée à Iphigénie !

La vindicative déesse, Diane, avait été prise de compassion devant la déchirante douleur d'une mère et la sublime abnégation de l'innocente vierge.

Iphigénie fut transportée en Tauride, où Thoas, le roi de cette contrée, la fit prêtresse de Diane à qui ce prince cruel immolait tous les étrangers qui abordaient dans ses États.

Après le meurtre de sa mère Clytemnestre, Oreste, poursuivi par les Furies, errait de pays en pays. Il échoua dans cette province de Tauride, accompagné de son fidèle Pylade qui ne le quittait jamais. Il allait subir le sort des étrangers condamnés d'avance par le roi.

Au moment de l'immoler, Iphigénie, sa sœur, le reconnaît malgré tant d'années de séparation. Elle est assez habile pour le délivrer ainsi que Pylade qui voulait mourir à sa place. Ils échappèrent à Thoas et s'enfuirent tous trois en emportant la statue de Diane qui avait présidé à leur tragique destinée.

XXVII

ORPHÉE

N attribue à Orphée plusieurs filiations ; les uns lui donnent comme père Œagre, roi de Thrace, époux de Calliope, muse de l'éloquence et de la poésie héroïque ; les autres veulent qu'Apollon l'ait engendré avec le concours de Clio, muse de l'histoire et fille de Jupiter et de Mnémosyne.

Nous préférons nous rallier à cette seconde version qui s'accorde mieux avec les lois de l'atavisme. Orphée fut en effet le musicien le plus réputé de l'antiquité, en digne descendant d'Apollon. Il eut pour professeur son frère Linus, issu du même père et de Terpsichore, muse de la danse.

Linus était un maître savant, inventeur des vers lyriques et des chansons. Il passait pour rigoureux dans ses leçons et parfois bien sévère. Hercule, qui fut de ses disciples, et auquel il enseignait la musique, accueillit fort mal un jour ses réprimandes et lui cassa la tête avec sa lyre. Hercule comprenait l'harmonie à sa façon.

Autrement docile, Orphée mit à profit les excellents conseils de ce maître rigide qu'il surpassa par l'élégance et la douceur de son jeu. Les accents mélodieux qu'il tirait de sa cithare produisaient des effets surprenants et magiques. Les oiseaux voletaient ou picoraient autour de lui, se perchaient sur les branches au-dessus de sa tête, immobiles et silencieux. On aurait dit qu'ils venaient s'inspirer pour perfectionner les chants délicieux que la nature faisait sortir de leur gosier flexible. Les vents suspendaient leur haleine. Les sources adoucissaient leur léger murmure ; les bêtes féroces sortaient de leurs repaires ; elles approchaient en rampant et se couchaient sur les pieds du divin artiste, hypnotisées par le charme de ses chants. On prétend que les objets inanimés subissaient eux-mêmes l'irrésistible influence ; les arbres arrêtaient le bruissement de leurs feuilles dans la crainte de contrarier les mélodieux accents de la lyre.

Cette suprématie dans l'art de la musique, certainement due à son père Apollon et à son frère Linus, n'empêcha pas Orphée de s'initier aux mystères de Bacchus et de consacrer une partie de son temps à étudier l'origine, l'histoire et les attributs des divinités.

Sa science multiple et son talent de virtuose lui valurent l'honneur de figurer dans l'expédition des Argonautes. Il se rendit ensuite en Égypte pour connaître les croyances des différents peuples et leurs pratiques dans la célébration de leurs cultes religieux.

EURYDICE

Au retour de ses voyages, Orphée se fixe dans la Thrace, où l'Hymen, attiré par sa voix touchante, désire présider à son union avec Eurydice.

La cérémonie ne fut pas entourée d'heureux présages. La lueur des flambeaux était incertaine ; une fumée humide en ternissait la clarté. Pour comble de disgrâce, Eurydice, environnée de nymphes, se jouait dans la prairie émaillée de fleurs, quand la poursuite indiscrète du berger Aristée la sépara de ses compagnes. En fuyant, elle heurte la tête d'un serpent venimeux qui lui donne la mort.

Désespéré d'une perte si sensible, le jour même de ses noces, le chantre de Thrace lance sa plainte jusqu'au ciel en invoquant les dieux. Ceux-ci restent sourds à sa voix. Un suprême espoir lui conseille d'implorer le farouche Pluton qui commande au peuple décoloré des ombres.

Sa tristesse enhardit son courage. Armé de sa seule lyre, il descend par le Ténare sur les rives du Styx. À ses premiers accords plaintifs, tous, comme ceux de la terre, subissent son magistral ascendant : Cerbère et ses trois gueules observent instantanément un silence contraint ; les Érinyes arrêtent le sifflement de leur chevelure vipérine ; Ixion cesse de mouvoir sa roue ; Sisyphe s'assoit sur son rocher ; les Danaïdes déposent leurs urnes. Orphée a subjugué le peuple des Enfers, il se jette aux pieds du trône où siègent Pluton et Proserpine : « Ô puissantes divinités, gémit-il, j'ai perdu plus que la vie, j'ai perdu le bonheur, j'ai perdu mon Eurydice ! Exaucez ma prière ; rendez-la-moi pour quelque temps encore ou gardez-moi près d'elle ; vous jouirez ainsi de notre double trépas. »

L'impossible Pluton écoute avec surprise l'expression d'une douleur sincère. Proserpine intercède en faveur du suppliant. Elle obtient qu'Eurydice retourne sur terre compléter la mesure ordinaire des années lui restant à vivre. On va l'écarter momentanément des ombres heureuses ; elle sera rendue à

Orphée qui l'emmènera avec lui, mais ne devra pas la regarder avant d'avoir franchi les limites du sombre empire. Eurydice apparaît, avance d'un pas ralenti par sa blessure. Elle approche ; Orphée lui prend la main, et, détournant la tête, presse l'adorée sur son cœur.

Dans le sentier étroit et rocailleux qui les conduit sur terre un court espace reste à franchir. L'endroit est en pente, les pierres inégales et arrondies rendent la marche hésitante et difficile. Eurydice, au pied endolori, fait un faux pas ; Orphée se retourne pour la soutenir. Il l'a regardée ! A-t-il seulement pu l'entrevoir qu'il ne perçoit déjà plus qu'une vague apparence soudainement évanouie dans la nuit souterraine.

La douleur d'Orphée n'a plus de bornes. Une seconde fois son Eurydice lui est ravie ; une seconde fois, c'est-à-dire pour toujours !

Aucun sentiment ni d'amour ni d'hymen n'a désormais prise sur son cœur. Il se désole, il clame sa plainte à tous les échos. Ses gémissements attirent les Bacchantes. Il les repousse, ne répétant qu'un seul nom, entrecoupé de pleurs et de sanglots : « Eurydice ! Eurydice ! j'ai perdu mon Eurydice ! » Les nymphes de Bacchus, outrées de cette dédaigneuse indifférence à leur égard, poussent des hurlements effroyables, brandissent leurs thyrses, en frappent Orphée et lui lacèrent le corps.

Les Muses, qu'il a si bien servies, le prennent en pitié et lui donnent une sépulture au pied de l'Olympe. Sa tête et sa lyre, qui avaient été abandonnées au gré des flots, sont recueillies par leurs soins et religieusement conservées dans l'île de Lesbos.

PROMÉTHÉE

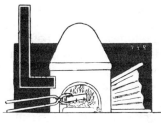

E Ciel et la Terre avaient un fils, Japet. Japet en eut deux, Épiméthée et Prométhée. Les dieux régnaient mais s'ennuyaient. Si le bonheur n'est pas de ce monde, il n'avait pas encore fréquenté la zone divine. Les dieux demandèrent au Ciel et à la Terre de mettre un peu d'animation dans la nature. Les parents de Japet déclinèrent cet honneur et s'en rapportèrent à leur fils. Celui-ci, que des occupations plus intéressantes retenaient ailleurs, passa la consigne à ses enfants. Épiméthée, le plus ardent et quelque peu étourdi, pria Prométhée de le laisser faire, lui réservant le droit de critiquer son œuvre une fois terminée.

Il s'agissait d'extraire d'un amalgame, formé de terre, de feu et d'autres éléments, des créatures vivantes, mais mortelles, et d'attribuer à chacune des facultés convenant à leur constitution.

Épiméthée, qui ne doute de rien, trouve que c'est très simple et que ce petit travail va beaucoup l'amuser.

Au fur et à mesure que les êtres nouveaux se présentent, il donne aux uns la force sans la vitesse ; aux autres la vitesse sans la force ; à ceux-ci, il offre des moyens de défense : à ceux-là, des chances de se protéger ; les plus faibles auront recours à la fuite, dans les airs grâce à des ailes ou sous terre par la souplesse d'un corps fluet et rampant. La taille des grands fera leur plus sûre protection.

Il ne s'agissait là que de garantir ces créatures les unes contre les autres. Il fallait à présent les garder contre elles-mêmes et les prémunir contre la faim, la soif et les injures du temps. Épiméthée n'y avait pas tout d'abord songé. Il se ravisa en leur distribuant à la ronde des ailes, des poils, une peau solide et impénétrable, permettant à chacun, suivant son genre, d'échapper aux excès de température froide ou chaude. Selon leur complexion, elles eurent, comme nourriture, l'herbe du sol, les fruits des arbres, les racines de la terre, voire de la chair et du sang. Ces derniers êtres, les plus gros, étaient en nombre infime ; autrement, ils auraient tôt fait d'exterminer les petits, ce qu'il fallait éviter à tout prix, la race devant en être conservée.

Très satisfait, Épiméthée appelle son frère à le féliciter du résultat de son labeur. Son attente est déçue. Prométhée voit bien que les animaux possèdent ce dont ils ont besoin pour vivre et pour se défendre. Les dons de la nature leur ont été judicieusement répartis ; mais il n'en reste plus pour les hommes. Épiméthée n'y avait pas songé. Comment remédier à son imprévoyance ? L'être humain est devant lui, nu, abandonné à lui-même, sans armes, sans défenses naturelles, sans ressources. Prométhée s'ingénie à réparer la négligence fraternelle. Il se glisse subrepticement dans l'île de Lemnos, pénètre dans les forges de Vulcain, au plus fort du travail, dérobe une étincelle du feu brûlant et la rapporte à l'humanité. L'être faible de corps, mais doué d'intelligence, possédera désormais, grâce au feu, le moyen de se garantir de la froidure, de faire cuire ses aliments, de s'éclairer, de confectionner des armes pour sa défense et des outils pour cultiver les arts et donner du charme à sa fragile existence.

Tout allait bien, mais les hommes ainsi dotés se crurent trop rapprochés de la divinité. Jupiter s'en émut et punit celui qui, par son larcin, avait provoqué leur outrecuidante prétention.

Prométhée fut, sous la surveillance de Mercure et par l'entremise de Vulcain, attaché sur un rocher à la cime du Caucase. Il n'apercevait que le ciel d'où journellement descendait un aigle gigantesque chargé de lui dévorer le foie sans cesse renaissant. Cet affreux supplice devait durer mille ans. Au bout de trente années, Mercure, profitant d'un jour de bonne humeur du Maître de l'Olympe, lui arracha la grâce du coupable et Prométhée eut le loisir de reprendre sa vie ordinaire, jurant bien qu'on ne l'y reprendrait plus.

ATALANTE

L E roi Schénée avait pris femme pour devenir père d'un garçon. On lui apporte une fille. Son désappointement fut grand. Il le témoigna par une indifférence complète : « Faites-en ce que vous voudrez, dit-il, je n'en ai cure et ne veux pas la voir jusqu'à nouvel ordre. » Les serviteurs, qui surprirent ce propos, ne s'intéressaient pas davantage à la fillette et s'en débarrassèrent en la déposant sur une montagne éloignée dans un taillis touffu. Une ourse allaita la petite *Atalante*, qui fut ensuite recueillie par les pâtres, protecteurs ordinaires des enfants abandonnés.

La fille de Schénée vécut ainsi dans les forêts, se complut à la chasse, grandit en beauté, en souplesse et en agilité. On ne vit jamais femme plus rapide à la course ; elle surpassait même en ce genre d'exercice les plus légers d'entre les hommes.

Son courage égalait son adresse. Le pays de Calydon, en Étolie, était ravagé par un sanglier monstrueux envoyé par Diane qui avait à se plaindre des mauvais procédés de Méléagre, fils d'Œnée et d'Althée.

Toutes les nuits, à la clarté des étoiles, l'animal aux formidables défenses quittait sa bauge, sortait de la sombre forêt et saccageait tout sur son passage ; vignobles, campagnes et prairies étaient retournés sens dessus dessous au point qu'il ne restait ni grappes, ni moissons, ni herbages.

Méléagre réunit ses compagnons les plus experts en l'art de poursuivre le sanglier. Atalante se joignit à la troupe qu'elle émerveilla par la justesse de son coup d'œil et la vélocité de sa course. Ce fut elle qui porta le premier coup mortel au dangereux sanglier que Méléagre acheva sans peine quelques pas plus loin.

Après cet exploit surprenant pour une jeune fille, Atalante regagne le foyer paternel. Schénée reçoit avec honneur, presque avec affection doublée d'un peu de remords, la vaillante chasseresse.

Les prétendants se disputaient l'honneur d'aspirer à sa main. La fille de Schénée, passionnée pour la poursuite des bêtes fauves, et jusqu'alors ayant vécu dans les forêts profondes, se souciait fort peu de la société des hommes. Elle s'en écartait volontiers. Cependant, devant la persévérante et flatteuse insistance de plusieurs, elle accepta d'épouser celui qui la dépasserait à la course : son cœur et sa main au victorieux ; la mort sera la rançon du vaincu. Tous acceptèrent malgré la rigoureuse condition qui faisait la loi de leurs ébats. Tous furent dépassés les uns après les autres ; tous moururent.

En dépit de cette hécatombe qui terrifiait les spectateurs, Hippomène, témoin de ces courages funestes, veut tenter les hasards de la lutte. « La fortune sourit aux audacieux », se dit-il, et il invoque la protection de Vénus. La déesse aux douces colombes s'intéresse au hardi jeune homme. Elle lui remet trois pommes d'or, dont il saura faire un excellent usage. Hippomène a compris. Ces fruits tentateurs ont été récoltés dans le champ de Tamadère, le plus bel endroit de l'île de Chypre où s'élève le temple de Vénus.

Les deux concurrents se placent côte à côte à la barrière. Les trompettes éclatantes donnent le signal. Atalante et Hippomène s'élancent avec une égale ardeur. À la légèreté de leur allure on jurerait qu'ils ne touchent pas le sol à peine effleuré. Atalante prend déjà l'avance. Hippomène jette une première pomme que la jeune fille ramasse en s'écartant un peu de la piste. La voilà en arrière. On applaudit. Mais elle ne tarde pas à regagner le terrain perdu. Le jeune homme lance une autre pomme aussi séduisante que la première et qui amène le même résultat. La distance à parcourir est bien courte ; on est presque au bout de la carrière. Atalante croit tenir la victoire, quand Hippomène se dessaisit de la troisième pomme. La fille de Schénée hésite, mais la vue de l'or scintillant la fascine. Elle arrivera encore à temps et se résout à un nouveau détour pour ramasser le fruit tentateur. Elle repart dans la ligne d'un effort désespéré. Trop tard ! Hippomène a touché le but et reçoit de chaleureuses félicitations avec la couronne due aux victorieux.

Atalante accepte allégrement sa défaite. C'est avec joie qu'elle tient la promesse d'épouser son vainqueur. Mais dans leur délire, les deux jeunes gens oublient de sacrifier à Vénus qui, furieuse de leur ingratitude, les métamorphose sur place en lion et en lionne.

ESCULAPE

 UR la montagne située auprès d'Épidaure, ville d'Argolide, un berger peu vigilant avait perdu son chien et une de ses chèvres. Après avoir longtemps erré, beaucoup sifflé, il finit par retrouver chèvre et chien. La chèvre allaitait un enfant ; le chien gardait la chèvre et l'enfant.

Le berger ramena les trois, remit la chèvre dans le troupeau, recommanda au chien une sérieuse surveillance, et confia l'enfant, qui n'était autre qu'Esculape, fils d'Apollon et de la nymphe Coronis, au Centaure Chiron, célèbre entre tous pour former d'excellents disciples.

Le Centaure ne manqua pas à sa mission. Il dirigea Esculape, en raison de ses aptitudes, vers les sciences médicales. Il lui apprit à reconnaître les simples et les plantes, lui indiqua l'époque favorable de la cueillette, lui enseigna leur emploi et lui apprit à distinguer les vénéneuses des curatives. Il n'omit pas d'inculquer aussi à son élève les principes élémentaires de la chirurgie inséparable de la médecine. Ce qui fut mieux encore, Chiron convainquit son disciple que les soins, donnés aux malades et aux blessés avec intelligence et à-propos, devaient se compléter, à leur chevet, par la douceur et une sollicitude constante. Ceux qui souffrent sont aussi bien soulagés par l'aide morale que par les remèdes et les pansements.

Esculape, dont l'habileté était grande et le cœur excellent, fit le plus grand honneur au Centaure, et la célébrité de l'éminent disciple se répandit dans toute la Grèce pour franchir les mers et l'espace, et pénétrer jusqu'en Italie.

Une peste cruelle avait corrompu l'air de ce beau pays favorisé de la nature. Les morts s'accumulaient ; les efforts humains étaient impuissants à conjurer le péril.

Désespérés, les peuples envoyèrent des délégués à Delphes implorer les secours d'Apollon. « Ce n'est pas mon aide qu'il faut invoquer, répondit le père d'Esculape. Adressez-vous à mon fils. Lui seul est capable de calmer vos misères. »

Les solliciteurs latins se rendent à Épidaure, où les Asclépiades [1], prêtres de « celui qui guérit », gardent le temple élevé en son honneur. Ils les prient de leur accorder ce dieu qui mettra fin à leurs malheurs. Les magistrats grecs délibèrent ; les avis sont partagés ; les uns proposent d'accéder à la requête ; les autres le déconseillent pour ne pas priver leur ville de ses richesses en livrant Esculape.

Pendant ces conciliabules, la nuit arrive, propice aux songes. Le chef de l'ambassade romaine voit, pendant son sommeil, la compatissante figure du fils d'Apollon ; il entend ces paroles : « Console-toi,

---

1. Esculape, en grec, se dit *Asclépios*.

enfant de l'Italie, j'irai dans ton noble pays, mais sous une autre forme. Regarde bien ce serpent enroulé sur mon bâton. Je lui ressemblerai, mais je serai plus grand, comme il sied à une divinité. Va, et rassure tes peuples. » Le rêve se réalisa. Les Latins rentrent dans la Péninsule. Le majestueux serpent les avait précédés, et, par sa seule présence, avait guéri leurs maux. Les Romains, pénétrés de gratitude, dédièrent un temple à Esculape comme témoignage durable de ses bienfaits [1].

1. Voir les circonstances de la disparition d'Esculape au chapitre XIV.

XXXI

BELLÉROPHON

ILS de Glaucus, roi de Corinthe, et le petit-fils de Sisyphe, célèbre par son rocher à perpétuelle descente [1], Bellérophon n'avait aucun motif de s'enorgueillir de sa généalogie. Il était d'ailleurs d'un naturel doux et calme, recherchant de préférence la solitude, et fuyant la société des princesses dont les attraits, séduisants pour d'autres, le laissaient fort indifférent.

Une passion, cependant, faisait battre son cœur. Qui peut échapper à une passion ? Bellérophon adorait les chevaux. Quand il voyait un fringant coursier, une fière cavale, son âme était en joie. On juge de son émoi quand sur la montagne dominant Corinthe il aperçut Pégase, le fameux cheval ailé, sorti du sang de la Gorgone Méduse [2]. Tout son être

---

1. Voir chapitre XI, B, 6.
2. Voir chapitre XXIII, 1.

frémit ; un désir ardent s'empare de lui : enfourcher l'animal, le dompter et le mener docilement à sa seule guise.

Sa connaissance des chevaux, son habileté à les subjuguer, son adresse à les conduire furent inutiles devant Pégase qui ne se laissait même pas approcher. De dépit, Bellérophon adresse une touchante invocation à sa divinité protectrice, à Minerve ! Qu'elle lui donne le moyen de réaliser son souhait ; qu'elle rende le cheval sensible à son étreinte, et jamais brebis plus blanche, jamais génisse plus immaculée n'aura été sacrifiée sur l'autel de la déesse, en hommage de pieuse et sincère reconnaissance.

Bellérophon venait de formuler cette humble prière quand soudain il s'endormit. Minerve lui apparaît en songe, dépose auprès de lui un frein [1] d'or, en prononçant ces simples paroles : « Prends ce frein et tu auras lieu d'être satisfait. »

À son réveil, un frein resplendit à ses pieds, un frein rutilant comme jamais il n'en avait connu de semblable. En même temps, Pégase avance à pas lents, d'une allure souple et soumise, se prête sans hésitation à la présence de Bellérophon, accepte tranquillement le mors dans sa bouche écumante, reçoit allégrement le cavalier sur son dos robuste, et l'enlève prestement dans les airs par ses ailes rapides et vigoureuses.

Bellérophon ne se sent pas de joie ; son allégresse est au comble. Il n'oublie pas les sacrifices promis en témoignage de gratitude et Pégase sera son compagnon inséparable.

La passion de Bellérophon pour les chevaux se complétait par un goût prononcé de la chasse dont il était un fervent partisan.

---

1. Partie du mors qui se trouve dans la bouche du cheval.

Un malheur irréparable devait interrompre les plaisirs de l'intrépide chasseur. Son frère, son jeune frère Pirène, fut mortellement blessé par une de ses flèches qui ricocha sur un rocher dissimulé dans les taillis de la forêt.

L'innocent meurtrier, inconsolable de cette perte cruelle dont le Destin seul était fautif, quitte sa ville natale et se retire auprès du roi d'Argos, Prœtus, dont la cour se tenait à Tirynthe. Il croyait trouver là le calme, et, sinon l'oubli, du moins le loisir de pleurer en paix son frère bien-aimé.

Ses épreuves, hélas ! ne faisaient que commencer. Si, comme nous l'avons dit, Bellérophon était insensible aux charmes féminins, sa beauté virile, son courage et sa valeur n'en inspirèrent pas moins un invincible attrait à l'épouse de Prœtus, la voluptueuse Sténobée, qui, courroucée de se voir dédaignée par le héros, conçut le projet de le faire périr. Elle eut l'audace de déclarer au roi que Bellérophon, violant les lois de l'hospitalité, voulait attenter à son honneur. Elle exigeait en conséquence une punition exemplaire pour ce crime impardonnable.

Prœtus, crédule, s'en rapporta, sans plus ample informé, à la calomnieuse délation de sa sinistre épouse. Mais, placide et débonnaire, il ne voulut pas assumer la responsabilité d'immoler l'homme reçu dans son palais comme un hôte ; il préféra confier le soin de l'exécution à son beau-père Iobatès, qui régnait en Lycie, province de l'Asie Mineure.

Désireux d'éviter les plaintes, les discussions et les récriminations, voulant avant toutes choses conserver la tranquillité et la paix dans son ménage, Prœtus ne dit mot ; il pria tout bonnement Bellérophon de porter un message au roi de Lycie. Ce message, rédigé en langage secret, instruisait Iobatès de la situation, et l'invitait, conformément au désir de sa fille, à faire disparaître le « porteur », en expiation du forfait reproché.

Arrivé à la cour de Lycie, notre héros est reçu avec tous les honneurs dus à son rang, à sa prestance et à sa réputation déjà établie de noblesse et de grand cœur.

Les fêtes données à son intention durèrent une semaine. Huit jours seulement après son arrivée, les tablettes du message furent déchiffrées par le père de l'irascible et traîtresse Sténobée. L'embarras d'Iobatès fut grand ; à son tour, il refusait de prendre sur lui d'exécuter la consigne que lui transmettait Prœtus. Il recourut à un compromis en sollicitant l'aide de Bellérophon pour débarrasser la Lycie d'un monstre qui la ravageait. Dans sa pensée, le héros devait disparaître en courant la dangereuse aventure.

LA CHIMÈRE

En effet, si aucun monstre n'est ordinaire, celui offert à Bellérophon présentait des particularités plus extravagantes que tous les autres.

Son père se nommait Typhon, le dieu de l'Ouragan, monstre terrible, qui de son union avec Échidna, monstre elle-même, moitié femme et moitié serpent, procréa une célèbre et respectable lignée. Nous distinguons dans le nombre : *Cerbère*, le chien-serpent aux trois gueules, préposé à l'entrée des Enfers ; *Orthros* autre chien cruel, gardien des troupeaux du géant Géryon[1] ; l'*Hydre de Lerne*, abattue par Hercule et le *Sphinx*, dont Œdipe devina l'énigme.

Tels étaient les frères et sœurs de l'adversaire offert

---

1. Voir chapitre XVIII, A, 10, p. 132.

aux coups de Bellérophon, de la *Chimère* en un mot, puisqu'il faut l'appeler par son nom, de la Chimère, digne de figurer dans son honorable famille avec sa tête de lion, son corps de chèvre, sa queue de dragon et sa gueule vomissant feu et flammes.

Bellérophon était loin de se douter du complot ourdi contre sa loyauté et formé contre sa propre vie. Suivant l'impulsion de sa nature généreuse et hardie, heureux d'avoir l'occasion de remercier Iobatès de son accueil amical, et, tout à la fois, de purger la terre d'un abominable fléau, notre héros accepte de tenter l'entreprise. Il fait signe au fidèle Pégase, prend son vol, découvre la Chimère, fond sur elle et, d'un coup de sa lance invicible, la perce de part en part pour la voir expirer dans les horribles contorsions du trépas.

Surpris autant qu'émerveillé du prodige accompli, Iobatès hésite à soumettre le vainqueur de la Chimère à de nouvelles épreuves. D'un autre côté, ne voulant pas manquer aux injonctions reçues, il envoie Bellérophon combattre les Solymes, peuplade sauvage, puis les Amazones, puis des Lyciens placés en embuscade sur son passage. Personne ne peut résister au fils de Glaucus qui les extermine tous successivement et rentre sain et sauf à la cour de Lycie.

Iobatès a peine à admettre qu'un guerrier aussi brave soit un lâche suborneur et se résout à provoquer des explications. Ne demandant qu'à être convaincu, il croit sans difficulté à l'innocence de Bellérophon et, en même temps, comme la plus grande marque de confiance, lui donne en mariage sa fille Philonoé.

En outre, l'affection paternelle de Iobatès et l'enthousiasme sans bornes que lui inspire son gendre assurent à Bellérophon la participation au pouvoir royal.

Au comble de la gloire et du bonheur, Bellérophon n'avait plus qu'à jouir du fruit de ses exploits. Mais, à l'ambition de s'opposer à la prudence...

Fier des difficultés vaincues, gonflé d'orgueil de ses réussites, il ne tient aucun compte du secours reçu des dieux et a l'audace de diriger Pégase vers les demeures célestes. Un taon vénéneux envoyé par Jupiter pique le cheval ailé qui, fou de douleur, se livre à des bonds désordonnés, se cabre et désarçonne son cavalier précipité dans le vide. Pâle, meurtri, défiguré par cette chute vertigineuse, Bellérophon, aveugle et misérable, termine péniblement sa vie, lui, le triomphateur de la Chimère !

INDEX ALPHABÉTIQUE

Donnant :
1) Les noms des principaux personnages de la Mythologie ;
2) Leurs appellations diverses ;
3) Les dénominations grecques en italiques ;
4) Les attributs de certaines divinités, dieux, demi-dieux, héros, etc. ;
5) La référence aux pages.

Assise à côté de Neptune dans un char en forme de conque, traîné par des chevaux marins, elle vogue sur les ondes entourée de Tritons et de Néréides.

Couronné de laurier, Apollon tient en sa main la lyre. Auprès de lui, des instruments pour les arts, frères de la poésie.

Phœbus, sur un quadrige, parcourt le Zodiaque.

Tantôt à califourchon sur un tonneau, ou sur un âne, tantôt assis sur un char tiré par des tigres, des lynx ou des panthères.

Tenant souvent une coupe d'une main, et de l'autre un thyrse. Parmi les objets à lui consacrés, citons le vin, le lierre, le laurier et l'asphodèle ; et, parmi les animaux, le serpent, le dauphin, le tigre, la panthère et l'âne.

Couronnée de laurier, ornée de guirlandes. Air majestueux. Dans la main droite, un stylet ; dans la gauche un livre. Auprès d'elle, l'*Iliade*, l'*Odyssée* et l'*Énéide*, les poèmes immortels d'Homère et de Virgile.

Autour de la tête, une guirlande d'épis ou un simple ruban. Dans ses mains, une gerbe de blé et une faucille ; quelquefois une torche et la corbeille mystique.

Couronnée de laurier : assise ou debout avec un rouleau de papier ou près d'une caisse de livres.

Dansant, sautant, battant du tambour, criant, chantant et courant comme des insensés.

On le représente généralement sous la figure d'un enfant nu avec des ailes aux épaules et portant un carquois garni de flèches.
Parfois un bandeau couvre ses yeux.
Souvent il accompagne Vénus, sa mère.

Assise dans un char attelé de lions, elle tient sur ses genoux la clef qui ouvre les trésors de la terre ; porte sur la tête une couronne d'où descend un long voile.

Le lierre lui est consacré ainsi que le pin.

Comme chasseresse : ses jambes sont nues jusqu'aux genoux ; les cheveux noués derrière la tête, ornée d'un diadème ; les pieds chaussés de sandales retenues par des lacets autour de la jambe ; un arc à la main ; carquois sur l'épaule, d'où tombe une chlamyde lui ceignant les reins.

Comme déesse de la Lune (Phœbé-*Séléné*) : vêtue d'une longue robe, elle conduit un char attelé de chevaux blancs ; un voile couvre sa tête ; à son front brille le croissant de l'astre des nuits.

La biche lui était consacrée.

Couronnée de myrte et de roses, tient d'une main une lyre, un plectrum de l'autre. À côté, un petit Cupidon ailé, avec son arc et son carquois.

Une couleuvre à la main, ou autour de son bras. Un coq auprès de lui.
Parfois il porte un bâton autour duquel s'enroule un serpent.
On lui immolait un coq.

Couronnée de fleurs, tenant des papiers de musique. Une flûte, des hautbois et d'autres instruments auprès d'elle.

Les trois Grâces, Euphrosine, Thalie et Aglaé, ordinairement représentées sans vêtement, forment un groupe, les bras entrelacés.

Elles accompagnent souvent Vénus, leur mère.

On les voit aussi près des Muses, d'Apollon et de Mercure.

Leurs attributs sont, indépendamment d'instruments de musique, le myrte, la rose et des dés.

Corps robuste, cheveux crépus, barbe épaisse, membres vigoureux. L'épaule couverte d'une peau de lion (celle du Lion de Némée), il s'appuie sur une énorme massue.

Tête à double visage ; un pour le passé, un pour l'avenir. Au front, une couronne. Dans la main, la clef ouvrant l'année dont le premier mois (*Januarius*, janvier) lui doit son nom. Il porte un bâton, attribut des voyageurs qu'il accueillait avec bienveillance.

Dans la force de l'âge. Port altier, beau front, grands yeux ; inspire le respect.

Vêtue d'une longue tunique sans manches. Les cheveux ornés d'une couronne ou d'un diadème. En main, le sceptre royal. L'inséparable paon, qui lui est consacré, étale son orgueilleuse queue où brillent les cent yeux d'Argus.

Jupiter : *Zeus* 27-31

L'air noble, fier et majestueux sur son trône ; longs cheveux, barbe épaisse et soyeuse ; le sceptre en une main ; de l'autre brandissant la foudre ; un aigle à ses pieds ; tout dans son attitude révèle la force et la puissance du Maître de l'Univers.

L'aigle, le chêne et les cimes des montagnes lui étaient consacrés.

On lui sacrifiait chèvres, taureaux et vaches.

Latone : *Lèto* 92

Ses deux enfants dans les bras, s'enfuit effrayée devant le serpent Python qui la poursuit.

Lèto : Voir Latone 92

Mars : *Arès* 86

Armé de pied en cap, casque, cuirasse, lance et bouclier, comme il convient au dieu de la guerre.

Melpomène : *Melpoménè*, Muse de la tragédie . 98

Air sérieux, superbement vêtue ; belle prestance. Couronnée de pampre, chaussée de cothurnes. Dans la main droite, un masque tragique ou un poignard ; dans l'autre, des sceptres et des couronnes prêts à être décernés.

Mercure : *Hermès* 113

Élancé, svelte, le caducée à la main ; des ailerons à la coiffure et aux chevilles.

Lui étaient consacrés le palmier, la tortue, le nombre quatre et divers poissons.

Sur ses autels, on apportait encens, miel, gâteaux, porcs, agneaux et chevrettes.

Minerve : *Pallas* ; *Athéna* 49

Comme déesse de la guerre : casque en tête, égide au centre de son pectoral ; lance d'une main, de l'autre un bouclier. Vêtue de la tunique grecque sans manches.

Comme déesse des sciences et des arts : auprès d'elle, divers instruments de mathématiques.

Elle a souvent comme compagnie une chouette, animal qui lui était consacré, ainsi que le serpent et le coq, sans compter l'olivier.

Couronné de plantes marines, la barbe abondante, les rênes en main sans quitter son sceptre-trident, il conduit un quadrige de bipèdes à queue de poisson, seul ou ayant à ses côtés son épouse Amphitrite (voir ce nom).

Le dauphin, le cheval et le trident constituent ses attributs ordinaires.

Chaussé de sandales, muni d'un bâton de voyage, coiffé du chapeau à larges bords, revêtu de la chlamyde, écoute attentivement le Sphinx placé devant lui.

Cornes sur la tête, visage enflammé, partie inférieure du corps semblable à celle d'un bouc : dansant et jouant de la syrinx, flûte qui porte son nom (flûte de Pan).

Les Parques sont toujours représentées ensemble, chacune dans son rôle : Clotho, tenant la quenouille ; Lachésis, tournant le fuseau ; et Atropos, coupant le fil avec des ciseaux.

Physionomie farouche, opulente chevelure surmontée d'une couronne d'ébène. Debout sur un char à deux roues entraîné par des chevaux noirs, il s'appuie sur une fourche à deux pointes, son sceptre.

Quand il est sur le trône, Proserpine l'assiste et près d'eux l'on voit poindre les trois têtes de Cerbère.

Couronnée de perles ; habillée de blanc. Debout et accoudée dans une attitude pensive.

Ordinairement représentée avec Pluton (voir ce nom).
Elle a le pavot comme attribut.

Vieillard robuste, marchant à grands pas. Crâne dénudé ; longue barbe blanche ; une faux dans la main gauche ; un sablier ou un aviron dans la droite.

Jeune fille vive, enjouée, couronnée de guirlandes, marche en jouant de la harpe.

Couronnée de lierre, tient un masque comique à la main ; est chaussée de brodequins.

Couronnée d'étoiles. Robe couleur d'azur. Dans les mains, un compas et un globe. Autour d'elle, instruments de mathématiques.

Généralement sur un char traîné par des colombes ou par des cygnes.

Quelquefois montée sur un bouc.

Souvent avec son fils Cupidon.

À sa naissance elle sort de l'onde amère sur une conque marine, admirée par les Néréides.

Comme attributs, on lui accorde : 1° dans le règne végétal, le myrte, la rose, la pomme, le pavot, etc. ; 2° dans le règne animal, le moineau, la colombe, l'hirondelle et la bergeronnette.

Fortement musclé ; claudication légère ; cheveux et barbe frustes, tient une tenaille ou frappe du marteau sur l'enclume.

Un bonnet ovale couvre la tête ; le vêtement laisse voir l'épaule et le bras droit.

TABLE DES GRAVURES

TABLE DES MATIÈRES